大偵探
福爾摩斯
SHERLOCK HOLMES
提升數學能力讀本

度量衡 之 卷

匯識教育有限公司

大家查案要「大膽假設，小心求證。」
身為偵探，首要仔細觀察，若掌握科學知識和數學邏輯，更事半功倍！
我為少年偵探隊度身設計《提升數學能力讀本》，大家要好好閱讀喔！

期待～

還記得嗎？福爾摩斯先生幫我們的朋友掙回工錢（註1）*，也曾救過我（註2）*呢！

＊1 詳見《大偵探福爾摩斯⑯ 奪命的結晶》（數字的碎片）　＊2 詳見《大偵探福爾摩斯⑫ 智救李大猩》（智破炸彈案）

　　《提升數學能力讀本》參考小學數學的學習範疇製作，共有六卷，大家可按自己的數學程度，隨意由任何一卷讀起。

這六卷書沒有深奧的數學理論及沉悶的說明，但有冒險故事、名人漫畫及數學的生活應用，令大家可以輕輕鬆鬆地投入數學知識的領域中。

－加減乘除之卷
－分數・小數・百分數之卷
－平面・面積之卷
－立體・體積之卷
－度量衡之卷
－代數・簡易方程之卷

2

內容精要

六卷書都有不同的有趣題材，教大家用數學應對日常生活所需，例如購物及理財；也有輕鬆一下、激活腦筋的「智力題」。另外你還可製作數學遊戲跟同學一起玩呢！

你知道嗎？我們每日都活在數學中啊！

$cm^2 + - \times \div$

$\sqrt{} \quad \% =$ LCM

生活數學

妙用數學幫你省錢省時，錯過了會後悔啊！

理財數學

儲蓄前想一想，用哪一種算法助你積少成多！

摺出數學

用手工紙摺出數學定理！

漫畫數學

看漫畫輕輕鬆鬆認識數學界名人！

數學趣話

不說不知！數學符號、公式及理論誕生的故事。

冒險故事

用數學去關關的冒險故事，十分刺激啊！

腦筋運動營

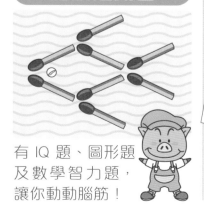

有 IQ 題、圖形題及數學智力題，讓你動動腦筋！

DIY 遊戲

每卷都有一款數學遊戲棋，自己製作，多人同玩，一起提升數學能力！

每卷書都會教你實用的「速算法」，可運用在學校功課和測驗中。

最後，M博士會拋出一些應用練習題考驗各位，此時就可運用速算法了！

一起努力吧！

目錄 Contents

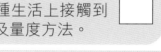

魔法學院米希羅

智取鐵鑰匙 巧奪大禮物

插圖：KAI

莎貝拉的心情非常好，因為今天是她的生日，而且一向疼愛她的魔法老師格倫答應送她一份「大禮物」。

馬克也想知道她會收到甚麼禮物，下課後，他跟莎貝拉一起去找格倫老師。

格倫老師剛巧在走廊上。雖然他已五十多歲，但常常有很多鬼主意，是學生眼中的「老頑皮」。他看見馬克二人，便趨前祝賀莎貝拉生日快樂。

馬克急不及待地問：「老師，你送甚麼給莎貝拉呢？不會是黃金或鑽石吧？」格倫老師故作神祕地說：「那是一份非常珍貴的『大禮物』，比黃金或鑽石還珍貴。不過要得到禮物，先要完成一個遊戲，否則只好空手而回。」

「老師，我很喜歡玩遊戲，我也可以參與嗎？」馬克興致勃勃地問。老師嬉皮笑臉地回答：「好呀！但這遊戲不易玩啊！」

老師將一個紙卷交給莎貝拉，說：「你們拿着這個紙卷，到我的辦公室，站在門外打開，就會知道那是一個怎樣的遊戲。莎貝拉，能夠完成遊戲，禮物就屬於妳了。」

　　格倫老師交過紙卷，就轉身向會議室走去，莎貝拉連忙拉着他的衣袖問：「你不和我們一起去嗎？」

　　「我還要開會，會議結束後來找你們吧！」老師回答說。莎貝拉二人跟老師道別後，來到他的辦公室，只見房門外有 1 個秤和 10 個布袋。

　　莎貝拉打開紙卷，紙卷上只畫了一個大口，那大口閃了一下就說話了：「你們好！我叫**大口先生**，是格倫老師用**魔法**變出來的！我的職責是把遊戲的內容告訴你們。」

　　大口先生的大口一開一合地說：「莎貝拉的生日禮物在老師的辦公室裏，現在房門上了**鎖**，你們要有鑰匙才能進去。請看看地上，有 1 個秤和 10 個**裝着鑰匙**的布袋。」

「10個袋子裏放了很多鑰匙，鑰匙的形狀和顏色完全相同，但只有其中1袋的鑰匙才能打開老師的門鎖，這袋鑰匙是鐵造的，每條重31克。而其他袋子裏的卻是銅鑰匙，每條重30克。你們只准使用這個魔法秤去比較重量，但這個魔法秤用一次就會消失。」

馬克驚訝地說：「甚麼？只用一次就會消失？」

「沒錯。而且這個魔法秤是格倫老師特地變出來的，就算你不用，2小時後它也會自動消失。你們好好把握時間吧，再見！」

莎貝拉正想叫住他，但「噗」的一聲，大口先生已和紙卷一同消失了。

事到如今，馬克和莎貝拉只好靠自己了。二人先在每個袋子上分別寫上①至⑩號作標記。

馬克問：「如果我們從每個袋裏抽出1條鑰匙，合共10條鑰匙一起稱，只稱一次可以找出鐵鑰匙嗎？」

「不，這個方法只能稱出鑰匙的**總重量**，無法稱出每條鑰匙的重量來比較啊！」莎貝拉回答說。

兩人**苦苦思索**，也無計可施，只見時間漸漸溜走，距離魔法秤消失的時間**只剩下 5 分鐘**。

莎貝拉聚精會神，喃喃自語：「一開始就針對 10 個布袋來思考很困難，不如先想想**2 個布袋**會怎樣？如果從①號袋取出 1 條鑰匙，從②號袋取出 2 條鑰匙，一起放在秤上的話……」

「莎貝拉，**糟糕了！**」馬克突然大喊，打斷莎貝拉的思路。原來他們已被數十隻愛吃金屬的**鐵甲蜘蛛**包圍！

莎貝拉緊張地說：「牠們一定是餓壞了，想來搶鑰匙當食物。牠們越走越近，怎辦才好？」

「時間無多，妳繼續思考吧，我自有辦法對付鐵甲蜘蛛！」馬克話音剛落，數十隻鐵甲蜘蛛就**一窩蜂**地湧過來。

「嘿、你們一起衝過來就好辦了！看我的『**激流魔法**』！」馬克口中**唸唸有詞**，手持魔法棒在地上向橫一揮，一股波浪突然湧出，向鐵甲蜘蛛襲去！

鐵甲蜘蛛被波浪一沖而散，沒被水沖到的，見狀也立即**竄逃**。原來鐵甲蜘蛛有個鐵外殼，遇到水會**生鏽**，所以牠們最怕水。馬克就是針對這個弱點來對付牠們。

此時，莎貝拉也解開了謎題，她解釋：「先從①號袋取出 1 條鑰匙，從②號袋取出 2 條鑰匙，如此類推，從⑩號袋取出 10 條鑰匙，合共 55 條放在秤上。看！**共重 1652 克！**」

「剛才大口先生說銅鑰匙重 30 克，鐵鑰匙重 31 克，如果所有鑰匙也是銅的，總重量應該是 **30 × 55 = 1650 克**。現在的重量是 1652 克，比 1650 克 **重了 2 克**，代表當中**有 2 條是鐵鑰匙**，所以取出 2 條鑰匙的②號袋裝的都是鐵鑰匙。」

馬克聽了莎貝拉的解釋後**恍然大悟**。魔法秤也在這個時候「噗」一聲消失了。

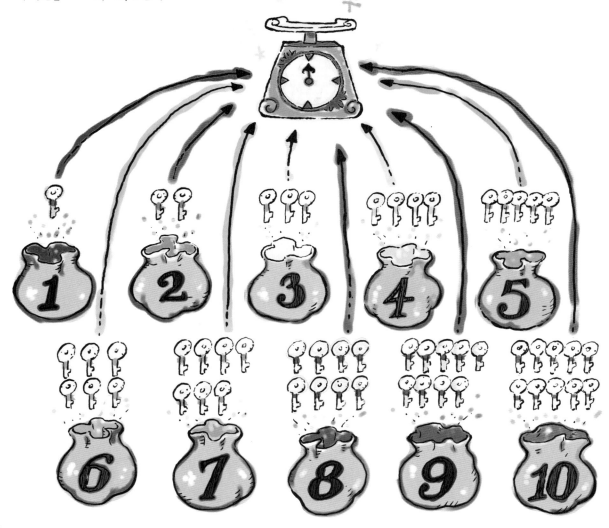

　　莎貝拉用②號袋的鑰匙打開老師的房間，一隻**小飛龍**從房裏飛出來，撲進她的懷裏。她高興地叫道：「原來老師送給我的『大禮』就是你！」飛龍是**罕見**的動物，馬克能親眼目睹，**按捺不住**內心的興奮：「這份『大禮』真的比黃金和鑽石還珍貴呢！」

　　格倫老師開完會回來，知道他們解開謎題，大力誇獎。莎貝拉向老師**憶述**剛才的情況：「一群鐵甲蜘蛛突然冒出來，差點吃掉所有鑰匙，幸好馬克趕走牠們，真是**有驚無險**。」老師說：「那些鐵甲蜘蛛是我從野地捉來的，**嚇壞**你們了吧？哈哈哈！」

　　馬克和莎貝拉知道自己被老師作弄，真是**哭笑不得**，格倫老師見狀更是笑過不停，笑聲傳遍整個校園。

【完】

智取鐵鑰匙的關鍵

我是大口先生！
眼前有 10 袋鑰匙，你總不能單靠運氣，隨機抽出 1 條去稱，就寄望它是 31 克的鐵鑰匙吧？
故事中的莎貝拉用以下方法，只須稱 1 次，就能確實找出 10 袋鑰匙中較重的 1 袋鐵鑰匙。

假如所有鑰匙也是銅的，總重量應該是 $30 \times 55 = 1650$ 克。

但鐵鑰匙比銅鑰匙重 1 克，如果稱出來的重量是 1651 克，比 1650 克重了 1 克，就代表鐵鑰匙有 1 條，①號袋裝的就是鐵鑰匙。若重了 2 克，②號袋的就是鐵鑰匙，如此類推。莎貝拉就是這樣推算出答案的！

只要理解「從每個袋中取出的鑰匙數目必須不同」這一點，即使有多少個袋子，也只須稱 1 次就能找出鐵鑰匙了！

三角形數 (Triangular number)

由 1 開始的連續數稱為三角形數。運用以下公式，就能速算 1 至 10 的連續數之和是 55 了！

$$1 + 2 + 3 + \cdots + n = \frac{n \times (n+1)}{2}$$

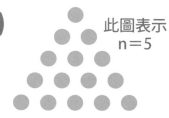

此圖表示
n＝5

名稱由來：順序排列連續數，可形成三角形。

趣味度量衡運動

本章的幾何題有別於一般數式運算，不懂解答？別放棄！福爾摩斯和同伴們會給你提示，只要作不同嘗試，一定能發掘出答案！

運動一 巧妙分砂糖

 +
解難重點　計算　分析

福爾摩斯有 500 克砂糖和一個 25 克的砝碼，他利用天秤稱了 3 次，將 100 克砂糖分給小兔子，他是如何辦到的？

提示：
你只須運用「除法」和「減法」就行了！

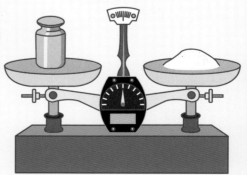

答案在第 18 頁

運動二 擦身而過的列車

解難重點　圖像化思考 + 分析

鐵路「歐洲之星」來往英國倫敦與法國巴黎，車程2小時30分鐘。

兩站由上午6時開始，每小時各開出1班列車。

請問上午9時從倫敦開出的班次，途中會與多少輛列車擦身而過呢？

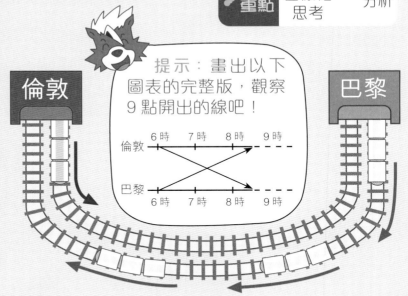

提示：畫出以下圖表的完整版，觀察9點開出的線吧！

運動三 來回平均時速

解難重點　圖像化思考 + 計算

愛麗絲參加學校的秋季旅行，從學校出發，乘旅遊車到郊外，以時速30km/h前往。

回程時，車子走同一條路線，但因為下雨，所以車速減慢至時速10km/h。請問車子來回的平均時速是多少呢？

去程：時速30km/h

回程：時速10km/h

提示：
你可以自由設定行車距離，再作計算。
亦可參考《大偵探福爾摩斯㊸時間的犯罪》，兇手利用計算陷阱做假證詞，我便拆穿其把戲！

運動四 小麻雀的體重

解難重點 計算 ＋ 觀察

　　小麻雀想大家猜一猜他的重量。圖 A 至圖 C，左右兩邊的重量都相等，已知每罐飲品重 400 克，但不知道南瓜和書本的重量，你能計算出小麻雀有多重嗎？

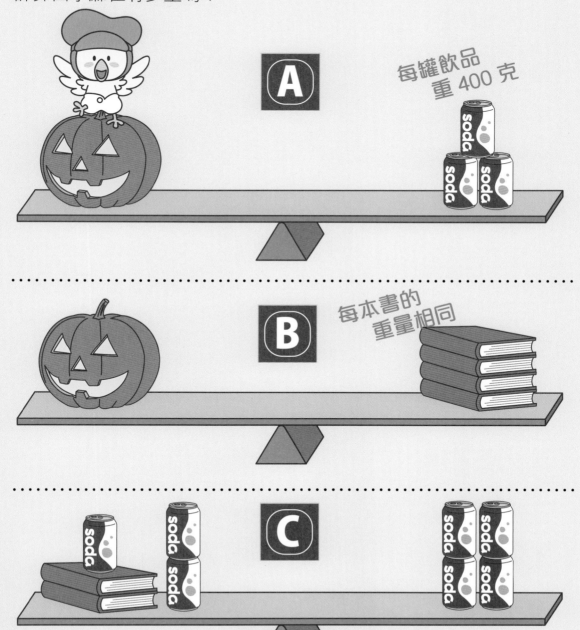

每罐飲品重 400 克

每本書的重量相同

答案在第 18 頁

答案

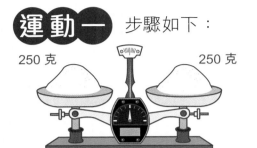

250 克　　　　　250 克

第❶次：將 500 克砂糖平均分成 2 份，每邊 250 克。

125 克　　　　　125 克

第❷次：將 250 克砂糖平均分成 2 份，每邊 125 克。

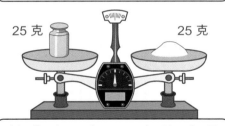

25 克　　　　　25 克

第❸次：把 25 克的砝碼放上天秤，從 125 克砂糖倒出 25 克放上天秤，剩餘的就是 100 克。

運動二

　　將列車班次畫成下圖，橫線代表時間，斜線代表列車行駛，**紅色線代表 9 時由倫敦開出的班次**，線上的綠色交叉點代表該班車與其他列車相遇的數目，共有 5 輛。

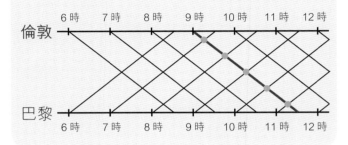

運動三　　假設學校與郊外的距離為 30km。前往郊外時，時速 30km/h，車程 1 小時。回程時速 10km/h，車程 3 小時。

　　來回合共 60 公里，共花了 4 小時，所以平均時速是 60÷4 ＝ 15km/h。

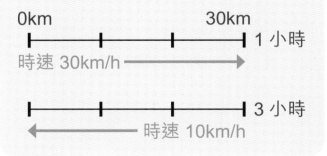

運動四

圖 C 顯示 2 本書的重量＝ 1 罐飲品，即每本書重 400÷2 ＝ 200 克。
圖 B 顯示 1 個南瓜的重量＝ 5 本書，即南瓜重 200×5 ＝ 1000 克。

從圖 A 知道：
小麻雀＋南瓜＝ 3 罐飲品
小麻雀＋ 1000 克＝ 1200 克
小麻雀＝ 1200 克－ 1000 克
　　　＝ 200 克

人與交通工具的競賽

> 我跑 100 米要用 11 秒，你呢？

目前 100 米賽跑的世界紀錄*是 9.572 秒，由牙買加的「飛人」博爾特（Usain Bolt）於 2009 年在德國的比賽創下。

「叮叮電車」是香港知名的慢速交通工具，你有試過跟電車比拼誰跑得快嗎？博爾特會比電車快嗎？本章用速率公式求出答案！

*資料來自國際田徑聯會（IAAF）

$$速率（Speed）= \frac{距離（Distance）}{時間（Time）}$$

> 下頁，我們用這條公式計算「百米飛人」博爾特的秒速和時速！

速率可用這條公式計算，在一定時間內完成的距離愈長，速率愈高。以下是 2 種常見的速率表示方法：

❶ 秒速
每秒能完成的距離，
多以米 / 秒（m/s）為單位。

❷ 時速
每小時能完成的距離，
多以公里 / 小時（km/h）為單位。

WORLD RECORD `09.572 s`

博爾特跑 100 米要用 9.572 秒，代入上頁公式，得出「秒速」答案。

$$博爾特的秒速 = \frac{距離}{時間} = \frac{100\ m}{9.572\ s}$$

$$= 10.45\ m/s$$

（準確至小數後 2 位）

單位換算 秒速→時速

換算時，不必套用上頁的速率公式。

交通工具的速率以時速（km/h）表示，因此要將博爾特的秒速換算成時速，才能與交通工具作比較。

////// 時間：秒（s）換算成小時（h） //////

假設博爾特能一直維持這速率，他的秒速是 10.45 m/s，即每秒能跑 10.45 米，每 60 秒等如 1 分鐘，即每分鐘能跑 10.45×60 米，每 60 分鐘等如 1 小時，即每小時能跑 10.45×60×60 米。

////// 距離：米（m）換算式公里（km） //////

每 1000 米等如 1 公里，所以上述「米」的答案要除以 1000，單位才變成 km。算式如下：

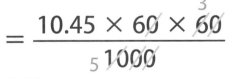

也可以這樣計算！

$$博爾特的時速 = 10.45 \times 60 \times 60 \div 1000$$

$$= \frac{10.45 \times 60 \times \overset{3}{\cancel{60}}}{\underset{5}{\cancel{1000}}}$$

$$= \frac{\overset{2.09}{\cancel{10.45}} \times 18}{\cancel{5}}$$

$$= 2.09 \times 18$$

$$= 37.62\ km/h$$

$$= \frac{10.45 \times \overset{3.6}{\cancel{3600}}}{\cancel{1000}}$$

$$= 10.45 \times 3.6$$

$$= 37.62\ km/h$$

運算過程不只一種！哪一種較符合你的計算習慣呢？

香港公共交通工具 最高時速 概覽圖

人可以慢步，也能快跑，同樣道理，車輛「能夠」開至最高時速，並不代表它「總是」開那麼快，駕駛者會視乎行車實況，調整車速。

根據香港法例，除非另有標示，否則一般道路的車速限制是 50 km/h。在「快速公路」容許較高速，例如青嶼幹線限速 80 km/h 以內，北大嶼山公路容許時速高達 110 km/h。

最高時速約 45km/h。
某些路段的站與站之間距離很近，只能慢駛，釀成「人比電車快」的誤會。

近年業界引入多種車款，最高時速各有差異，但都不會開至最高速。

博爾特時速 37.62 km/h，只比山頂纜車快。

電車

輕鐵

港鐵

的士

0　10　20　30　40　50　60　70　80　90　100　110　120　130　140　150　160　170　180
km/h

山頂纜車

巴士

小巴

東鐵線
又俗稱火車

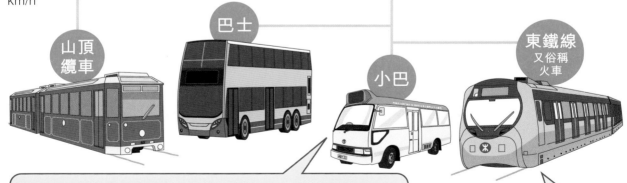

巴士和小巴的引擎能加速至 100 km/h 以上，但按照法例，就算快速公路容許車速超過 70 km/h，巴士也須維持車速 70km/h，公共小巴須維持車速 80 km/h。

機場快線及東涌線更快，時速高達 135~140 km/h。

公制 km/h VS 英制 mph

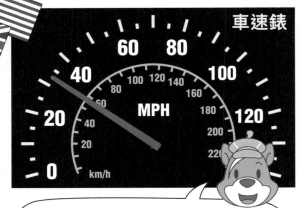

車速錶

很多地方以公制 km/h 標示時速，英國和美國則用英制單位 mph，即每小時可走幾英里（mile per hour）。

*1 英里＝約 1.609 公里

美國與加拿大接壤，兩地車輛交通頻繁，但加拿大使用公制，所以美加車輛的車速錶（speed meter）普遍同時標示英制 mph 和公制 km/h 兩種數值。

為何 km/h 有斜線，但 mph 沒有？因為 km/h 全寫是 kilometre per hour，斜線代表 per；而 mph 的 p 已代表 per，所以不用加斜線。

飛機有多快？

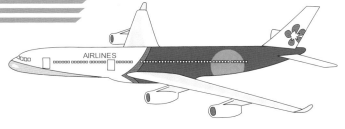

現時民航客機時速約 800 km/h 至 1000 km/h，為了乘客的安全和舒適，平常航行時速常常低於 800 km/h。

單位換算
時速→秒速

上 2 頁將秒速換算成時速，那麼反轉過來，將飛機的時速換算成秒速要怎辦呢？很簡單，算式與之前的同樣，只要將「÷」與「×」對調即可，如下：

飛機的秒速 $= 800 \div 60 \div 60 \times 1000$

$$= \frac{800}{60} \times \frac{1}{60} \times 1000$$

$$= \frac{800}{60} \times \frac{1}{60} \times 1000$$

$$= \frac{2000}{9}$$

亦可寫成
循環小數 $222.\dot{2}$ m/s

$$= 222.22 \text{ m/s}$$

（準確至小數後 2 位）

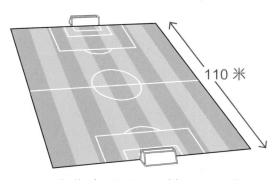

香港大球場的草地面積是 110 米 × 70 米，飛機只需 1 秒就能飛越 2 個球場！

110 米

的士收費法

客人決定目的地及指示司機駕駛前往，最後按路程收費的交通工具（例如馬車），源於 17 世紀的英國及法國。到汽車誕生後就有了 Taxi， Taxi 音譯「的士」（香港）及「德士」（新加坡），意譯計程車或出租車。

乘的士可直達目地，比巴士及小巴靈活省時，然而車費屬三者中最貴，車費計法也較複雜。

＊本部分車牌號碼僅作教學用途，純屬虛構。

有趣的士服務 代行駕駛

為何有 兩名司機？

日本的酒後駕駛罰則嚴厲，私家車主在居酒屋用餐及飲酒，為避免觸犯醉酒駕駛，都會電召「代行駕駛」服務。的士公司派出一輛的士及兩位司機前來，一名司機負責接送客人上的士，另一名駕駛客人的私家車回家，所以有兩名司機。

香港有三種顏色的士，分別按地區分佈。

- **紅色的市區的士**：超過 15000 輛，能在全港（南大嶼山的道路除外）行駛，行駛範圍最廣。
- **綠色的新界的士**：接近 2900 輛，只能在新界部分區域行駛，包括屯門區、元朗區、大埔區、北區、沙田區的馬鞍山和香港中文大學，以及西貢區大部分地區。
- **藍色的大嶼山的士**：不足 100 輛，只能在大嶼山範圍內行駛。

香港的士

新界的士

市區的士

大嶼山的士

跟世界大多的士一樣，香港的士都跟據行車距離及等候時間收費。

收費標準

市區的士收費

- 首 2 公里或其任何部分　　$ 24
- 其後每 200 米或其部分
  每分鐘等候時間或其部分：
  車費在 $ 83.5 內　　　　$ 1.7
  車費達 $ 83.5 後　　　　$ 1.2

新界的士收費

- 首 2 公里或其任何部分　　$ 20.5
- 其後每 200 米或其部分
  每分鐘等候時間或其部分
  車費在 $ 65.5　　　　　$ 1.5
  車費達 $ 65.5 後　　　　$ 1.2

隨身物品收費（均一）

- 傷健乘客的輪椅及拐杖　　免費
- 擺放在車尾廂的行李　　　每件 $6
- 每隻動物或鳥類　　　　　$5
- 每程電召預約服務　　　　$5

註：以上收費計法截至 2021 年 4 月。

隧道費　乘客需承擔進入收費隧道、道路或區域的費用，進入以下三條隧道時，除單程費外，須另付回程費。

- 紅磡海底隧道 $ 10
- 東區海底隧道 $ 15
- 西區海底隧道 $ 15

我和華生醫生是乘客！

我是司機！

收費標準

今日剛好要從九龍乘市區的士到港島。小兔子，你跟我一起學習的士如何計費吧！

① 華生與小兔子上車後，收費錶顯示 $24.0。

這是市區的士的起步價，即最低消費 $24！

即行駛 2 公里內，甚至是計算一開始便即時下車，都收 $24。

② 的士走了一段路後，收費由 $24 跳到 $25.7。

行駛 2 公里後，每 200 米（0.2 公里）為收費單位，所以到 2.2 公里時收費 $25.7。

行駛距離不足 100 米（0.2 公里），也是一個收費單位，例如走 2.1 公里都是 $25.7。

③ 華生的士剛遇上交通擠塞，車停下來，收費仍增加。

的士停下來，收費錶就改為計算等候時間，每分鐘 $1.7。不足一分鐘也是一個收費單位。

邊走邊停時仍未下車，收費錶會累積等候時間到一個收費單位，才加算。

④ 的士費過了 $83.5 後，每 200 米行車及每分鐘等候改為增加 $1.2。

這是「短加長減」：送給長途客的優惠，請笑納！

⑤

到達了！連同走紅磡海底隧道費 $10，以及回程附加費 $10，盛惠總車費 $120.3！

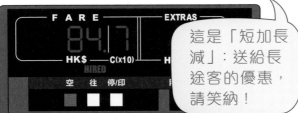

總車費算式

的士收費「短加長減」，當中更有「距離」及「等候時間」的變數，所以算式變得繁複。

短途：收費單位較貴	**$83.5**	長途：收費單位較便宜

$83.5 車費內收費計法 ｜ $83.5 車費後收費計法

基本車費	額外行車距離 例：32 個 0.2 公里	等候時間收費 例：3 個一分鐘	額外行車距離 例：10 個 0.2 公里	等候時間收費 例：4 個一分鐘	附加費

$$\$24 + \boxed{32 \times \$1.7} + \boxed{3 \times \$1.7} + \boxed{10 \times \$1.2} + \boxed{4 \times \$1.2} + \$20$$

總車費 = $120.3

核實收據

乘客付款後，可要求的士司機列印收據備存。這張收據清楚顯示車程資料及收費，以防濫收車資。

付款後記得拿收據啊！

若付款後發現遭濫收車資，此收據可作為證據。

行車距離

的士行駛 10.25 公里，即在首 2 公里外，額外行車 8.25 公里。8.25 公里即當作 8.4 公里計算，換算即 42 個 0.2 公里的收費單位，但未有列出多少個 $1.7（短途）及 $1.2（長途）收費單位。

```
车号      TAXI NO.                 AB1234
上车      START 18/04/2021 10:23
下车      END   18/04/2021 10:59
总公里    TOTAL KM              10.35
收费公里   PAID KM               10.25
收费分钟   PAID MIN               6.08
附加费    SURCHARGE       HK$20.00
总车费    TOTAL FARE     HK$120.30
```

等候時間

收費分鐘（等候時間）6.08 分鐘，不足 1 分鐘亦作 1 分鐘計算，因此等候時間以 7 個 1 分鐘計算。

附加費

CROSS-HARBOUR TUNNEL

指使用隧道費（另加回程）、乘客的行李及寵物、電召費。

若在「過海的士站」上車，乘搭專門過海（往來港島）的士，乘客可免付隧道的回程費。

TAXI STAND 的士站

Cross-harbour trips only single toll charge
只限過海
限收單程隧道通行費

你的能量：卡路里

飲食和運動時常見「卡路里」這個詞語，你對它的認識有多少？

卡路里是食物熱量的單位，每 1000 卡路里簡寫千卡（kcal），又稱大卡（Cal），英文全稱 kilocalorie。一千卡（1 kcal）熱量能使 1 kg（1公升）的水升高 1°C。

*香港衛生署常用寫法為千卡（kcal）

卡路里 Calorie

一個 200g 蘋果的熱量約
（中文）100 千卡 / 100 大卡
（英文）100 kcal / 100 Cal

食物熱量（Food energy）是能量的一種，指透過食物獲得的能量，也指身體消耗的能量。一個 12 歲兒童每天消耗 1700 千卡至 2000 千卡熱量，一隻倉鼠每天消耗 25 千卡至 45 千卡熱量。

主要食物的卡路里

食物例子	含有成分	每 1g 成分的熱量
飯 / 全麥麵包	碳水化合物	4 kcal
蛋 / 魚 / 大豆	蛋白質	4 kcal
肉 / 油 / 花生醬	脂肪	9 kcal

熱量主要來自碳水化合物、蛋白質和脂肪，如果吃過量，身體會將多餘的熱量轉化成脂肪，導致肥胖。

哇！脂肪的熱量是蛋白質的 2 倍！

來看看日常生活中的卡路里例子！

這罐湯總共能提供多少熱量？

罐頭湯的卡路里

食品包裝一般印有淨重和營養標籤（營養資料），例如熱量（能量）、蛋白質、脂肪及各種成分含量。

淨重（Net weight /NET WT.）指不計包裝，只計商品本身的重量，在此指罐內湯的重量。毛重（Gross weight）則指含包裝的重量。

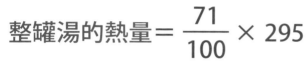

Nutrition Information 營養資料

	Per 100g 每100克
Energy 能量	71 kcal 千卡
Protein 蛋白質	1.6 g 克
Total Fat 總脂肪	4.8 g 克
Saturated Fat 飽和脂肪	0.8 g 克
Trans Fat 反式脂肪	0 g 克
Carbohydrates 碳水化合物	5.1 g 克
Sugars 糖	0 g 克
Sodium 鈉	773 mg 毫克

NET WT./淨重 295g/克 (10.4 oz/安士)

Serving Suggestion　Manufacturing Date (MFG): YMD (On Can End) 生產日期 (MFG): 年月日 (見罐底)

整罐湯淨重 295g，每 100g 含 71 kcal 熱量。只要先找出每 1g 的熱量（即 kcal/g）再乘以 295 就知道整罐的熱量：

$$整罐湯的熱量 = \frac{71}{100} \times 295$$

$$= 0.71 \times 295$$

$$= 209.45 \text{ kcal}$$

$$= 209 \text{ kcal} \text{（準確至整數）}$$

也可以這樣算！

$$= 0.71 \times 300 - 0.71 \times 5$$

$$= 213 - 3.55$$

$$= 209.45 \text{ kcal}$$

$$= 209 \text{ kcal} \text{（準確至整數）}$$

豆漿的卡路里和糖分

飲品的糖分與卡路里成正比。豆漿的微量糖分來自大豆，但有些商家額外加糖，使它更美味。為了健康，還是喝較少糖分的飲品更佳。

> 牛奶的卡路里和香甜來自**脂肪**。有些低脂奶為彌補味道而加糖，使糖分高於普通版，但卡路里仍低於普通版。

236ml 特濃版

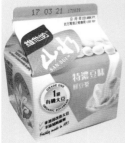

營養資料 Nutrition Information	
每100毫升 Per 100mL	
熱量/Energy	60千卡/kcal
蛋白質/Protein	3.2克/g
脂肪總量/Fat, total	2.3克/g
-飽和脂肪/Saturated fat	0.4克/g
-反式脂肪/Trans fat	
膽固醇/Cholesterol	0毫克/mg
碳水化合物/Carbohydrates	6.5克/g
-糖/Sugars	6.0克/g

$$整盒熱量 = \frac{60}{100} \times 236$$
$$= 142 \text{ kcal} \quad \text{(準確至整數)}$$
$$整盒糖分 = \frac{6}{100} \times 236$$
$$= 14.16 \text{ g}$$

236ml 無添加糖

營養資料 Nutrition Information	
每100毫升 Per 100ml	
熱量/Energy	43千卡/kcal
蛋白質/Protein	3.6克/g
脂肪總量/Fat, total	2.4克/g
-飽和脂肪/Saturated fat	0.4克/g
-反式脂肪/Trans fat	
膽固醇/Cholesterol	0毫克/mg
碳水化合物/Carbohydrates	1.7克/g
-糖/Sugars	0.9克/g

$$整盒熱量 = \frac{43}{100} \times 236$$
$$= 101 \text{ kcal} \quad \text{(準確至整數)}$$
$$整盒糖分 = \frac{0.9}{100} \times 236$$
$$= 2.124 \text{ g}$$

> 哇！相差近7倍！

無糖 汽水真的存在嗎？

　　未必。根據香港食物安全中心的營養標籤指引，食物或飲品每 100 g（100 ml）的含糖量若不超過 0.5g，該產品便可稱為「無糖」，你可能喝了糖也不知道。

　　例如，飲品每 100 ml 含 0.4g 糖，它可在包裝標示無糖，而你喝了 500 ml，便等同喝下 0.4×5 = 2g 糖。

令你更愛甜的 甜味劑

　　低糖和無糖汽水含甜味劑，又稱人工代糖，本身不含糖分，其化學成分卻能讓人感到甜味。

　　但長期攝取甜味劑，容易令大腦習慣甜味、對甜味麻木，使人無甜不歡，變相在其他地方吃多了糖分。因此，就算汽水標榜無糖，也不應多喝。

> 要意志堅定，別成為甜味的俘虜！

基礎代謝率 BMR
（Basal Metabolic Rate）

BMR 即人體在靜臥狀態下 24 小時內維持生命所需的最低 kcal，利用身高、體重和年齡來計算。

身體每一秒都在消耗熱量，例如每 1 小時睡眠會消耗 48 kcal，以維持心跳和呼吸。就算減肥中的人，每天卡路里攝取量也不應低於 BMR。

> 身高和體重也可用來計算 BMI，以判斷是否過重，計算方法見本系列《分數·小數·百分數之卷》。

BMR 公式 *BMR 不止一種計算法，以下是較新修訂的 Mifflin St Jeor 版本。

$$10 \times 體重\ kg + 6.25 \times 身高\ cm - 5 \times 年齡$$

┈┈┈▶ ＋5（男性）

┈┈┈▶ －161（女性）

> 就算同齡，身高和體重也不一定相同。體格愈高大，身體愈需要熱量維持器官運作。

> 我身型健碩，BMR 比同齡的成年人要高。

> 人由出生至青少年期間，BMR 每年增加，約 18 至 20 歲時 BMR 達巔峰。
>
> 成年後，BMR 開始每年下降，年紀愈大，代謝減慢，熱量消耗愈低。

愛麗絲的 BMR 是多少？

 假設她 12 歲時，身高 152 cm，體重 45 kg。代入 BMR 公式如下：

$$10 \times 45 + 6.25 \times 152 - 5 \times 12 - 161$$
$$= 450 + 950 - 60 - 161$$
$$= 1179\ kcal\ (準確至整數)$$

> 等等！有疑點！本章一開始（第 27 頁）不是說過「12 歲兒童每天消耗 1700 千卡至 2000 千卡」嗎？

> BMR 是「靜臥狀態」下的數值，下頁的 TDEE 才是每天「活動」消耗的熱量。

每日總消耗熱量 TDEE
（Total daily energy expenditure）

找出 BMR 後，你可透過右表計算每日總消耗熱量。就算是同一個人，TDEE 也會視乎活動量有所增減。

活動量	實例描述	TDEE 算式＝
久坐	在辦公室工作	**1.2 × BMR**
輕量活動	每周運動 1-3 天	**1.375 × BMR**
中度活動量	每周運動 4-5 天	**1.55 × BMR**
高度活動量	每周運動 6-7 天	**1.725 × BMR**
極高度活動量	從事體力勞動工作	**1.9 × BMR**

愛麗絲的 TDEE 是多少？

例子 假設她每星期有 3 節體育課，閒時和周末會跟同學打羽毛球。

$$TDEE = 1.55 \times 1179 = 1827 \text{ kcal}$$ （準確至整數）

中度活動量：每周運動 4-5 天

水有熱量嗎？

水沒有熱量，卻是人體主要成分，人體約 65% 是水分，協助消化、吸收、血液循環、製作體液和調節體溫等。

多喝水能促進身陳代謝，更有效消耗多餘熱量，排走廢物，水可謂最健康的飲料！

注意不應用加工飲品代替喝水！

每天要喝多少水才夠？

世界衛生組織（W.H.O.）建議，一個 60 kg 成人每天的攝取水量為 2000 ml（2 公升）。

算一算，2000 ml ÷ 60 kg ＝ 33 ml/kg（準確至整數），即體重每 1 kg 每天應攝取 33ml 水分。

如果一個小學生體重 25 kg，每天應攝取 25 × 33 ＝ 825 ml 水分。運動後要額外喝水補充。

各活動消耗熱量公式

消耗卡路里＝ **下表 3 位小數** × 分鐘 min × 體重 kg

活動	體重每 1 kg 每 1 分鐘 消耗的熱量	體重 45kg 活動 30 分鐘 消耗的熱量
坐着	0.021	28
站立	0.028	38
彈琴	0.040	54
拉小提琴	0.047	63
做家務	0.062	86
打乒乓球	0.068	92
散步	0.083	112
打羽毛球	0.098	132
打網球	0.109	132
游泳（自由式）	0.128	173
慢跑 1600 米（11 分鐘跑完）	0.134	181
打籃球	0.138	186
游泳（蛙式）	0.162	219
跳繩	0.194	262

計算例子

坐着 30 分鐘可消耗
0.021 × 30 × 45
= 28 kcal
（準確至整數）

表中的「慢跑」到底指跑多快？

慢跑的秒速

$$= \frac{1600 \text{米}}{11 \text{ 分鐘} \times 60 \text{ 秒}}$$

$$= \frac{1600 \text{米}}{660 \text{ 秒}}$$

$$= 2.42 \text{ m/s （米 / 秒）}$$
（準確至小數後 2 位）

以上速率跑百米需時
= 100 ÷ 2.42
= 41.32 秒
（準確至小數後 2 位）

*上表及公式，節錄自香港衞生署與香港中文大學體育運動科學系合編的「兒童及青少年運動貼士」。

◇◇◇◇◇◇ 帶氧運動 Aerobic exercise 無氧運動 Anaerobic exercise ◇◇◇◇◇◇

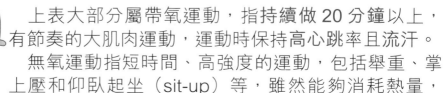

　　上表大部分屬帶氧運動，指持續做 20 分鐘以上，有節奏的大肌肉運動，運動時保持高心跳率且流汗。
　　無氧運動指短時間、高強度的運動，包括舉重、掌上壓和仰臥起坐（sit-up）等，雖然能夠消耗熱量，但不能減去脂肪，好處在鍛煉肌肉，提高平衡力。

一米的抉擇

格林尼治子午線 vs 巴黎子午線

　　地球上任何一條經線都可設定為「0 度經線」，即本初子午線（Prime meridian）。19 世紀英國「格林威治子午線」與法國「巴黎子午線」之間，競爭誰是 0 度經線，最後 1884 年國際子午線會議上，英國在票選中勝出，格林威治子午線自始成為全球的「本初子午線」，也是 UTC 的授時標準（見第 42 頁）。另一方面，巴黎子午線則成為 1960 年前「一米」的標準，兩者對全球度量衡制度有莫大影響。

古代單位

在古代社會，世界各國都各自制訂長度單位，例如古埃及、古印度喜歡以肘（cubit）為長度單位，到古希臘至羅馬帝國則常用腳長（foot）為一個單位，即使大家都用後來譯為「呎」的單位，但彼此的長度定義也不同，結果都有差異。

> 今日的「鞋碼」，就有英式、美式及日式等不同標準，大家買鞋時都要問清楚呢！

標準的芻議

1789 年法國大革命前的法國，貴族隨喜好向平民施行不同的長度單位徵稅，到大革命後國民大會中，有識之士提出制定公認的長度單位，達致人人平等。

有些學者提出 1 秒的來回鐘擺繩長為長度標準，然而發現鐘擺時間受地心吸力影響，世界各地都有偏差，未能放諸四海而皆準。到 1795 年法國人最後決定用地球北極到赤道的子午線弧度，測量出公認單位，並行十進制，即 metre（米）。

> 地心吸力原因之外，各地鐘擺繩長也不同，難成標準。

一米的英語

km

cm mm μm

英式英文 metre 源自法文 mètre（測量），美式英文則寫成 meter。因 meter 又可解為「測量計」，例如 speedometer（車速錶），為免混淆，較多人用 metre，到傳入日本時，取漢字「米」，今日中文的米又稱為「公尺」。

訂立 1 米後，學者就再訂「百分之一」的cm（厘米）、千分之一的mm（毫米），一百萬分之一的μm（微米）等，較長的 1000 米則訂為 km（公里）。

國際「米原器」

這是一條經過巴黎的經線，現為東經 2 度 20 分 14.025 秒。

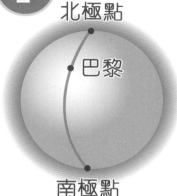

北極點
巴黎
南極點

大革命前法國已有測量子午線的豐富經驗，所以學者主張取用連接南北極，中間通過首都巴黎的「巴黎子午線」（Paris meridian）作標準。

北極點
巴黎　赤道

鄧寇克
巴黎
法國
西班牙　巴塞隆拿

如何測量？

「米」制定會議討論初期，學者都同意用巴黎子午線，取其「4 千萬分之 1」為一米。鑑於當時人類未能前往南北極兩點，所以改為測量地球北極點到赤道的弧度，即巴黎子午線的一半弧線，然後均分為一個單位，就是「一米」。

米原器：最初的一米間尺

同樣，大家都去不到「北極點」，所以只能測量法國北部城鎮鄧寇克（又稱：敦克爾克，英文 Dunkrik），至西班牙巴塞隆拿（Barcelona）的距離，再用「三角量法」及天文觀察找出長度，最後 1799 年用鉑金棒製作了「米原器」（Mètre des Archives），可說是最初的「一米間尺」。

Mètre des Archives

巴黎的「米標準」

METRE

今日在法國首都巴黎，都能找到約 16 個在 1790 年代制訂的一米標準刻石：mètre étalon（Metre Standard），這些「一米石」是在「米原器」誕生前的臨時標準，現在成為文化景點。

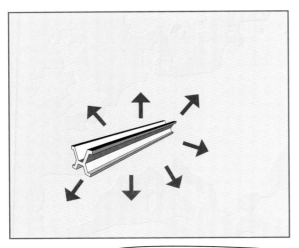

米制公約

　　法國國內到 19 世紀中期，習慣使用米制後，法國人 1851 年及 1867 年更在世界博覽會中宣傳「米制」的優點，並獲得參與國認同。

　　這促使歐洲各國 1875 年訂立「米制公約」，基本確認「米」是國際長度單位，沿用至今。

　　1889 年相關組織製造了 30 把精準度較高的「X」字型 1 米尺，名為 International prototype metre bar（國際米原器），分派當時的締約國，包括英國、德國、俄國及美國，日本是當時惟一的亞洲締約國。

除非洲部分國家外，現在世界大部分國家及地區，都參加了「米制公約」。

光速計算

　　以巴黎子午線為標準的一米單位，維持到 1960 年。同年國際度量衡大會，以氪原子在真空中的波長釐定一米，取代了國際米原器。不過，此標準只用了 23 年，就被更準確的「光秒計算法」取代至今。

$$\frac{1}{299792458}$$ 光秒

 1 米

1 光秒（Light-second）換成米，四捨五入的話就是 3 億米。

國際單位制（International System of Units）

　　國際在訂立「米制」同時，也商議了重量、時間等公制單位，發展為今日七個主要的公制，稱為國際單位制（簡稱 SI），**m**（米）是為其一。

kg（千克）重量
s（秒）時間
A（安倍）電流

cd（坎德拉）發光強度
mol（摩爾）物質的量
K（達爾文）熱力學溫度

時間大搜查

時鐘與時計

古今中外，各有不同的授時方法及計時工具。18 世紀末，鐘錶業興起，民間日漸普及機械錶和電鐘錶。

至近年香港流行用日文「時計」，取代傳統中文「時鐘」，時計與時鐘所指都是同一種東西。

12 小時制？

24 小時制？

時區？
30 小時制？

為何手錶廣告商品常見撥去 10 時 10 分或類近的時間呢？

據國際手錶廠 SEIKO（精工）解釋，廠方會把傳統指針錶撥到 10 時 08 分 42 秒，拍攝商品廣告照，原因是：
- 時針、分針及秒針不會重疊，時針更有「向上」躍動感。
- 清晰顯示位處 12 時之下及 6 時之上的品牌名稱。

數碼跳字錶常用 10:08:59 顯示，當中 8 字能顯示所有點字功能，而 59 秒就有快跳到下一分鐘的躍動感。

資料來源：The Seiko Museum Ginza（museum.seiko.co.jp/knowledge/trivia01/）

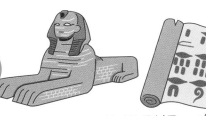

誰發明 12 小時制？

　　約公元前 3000 年，相傳古埃及人使用地上的投影桿，在日間量度影子報時，他們把影子均分為 12 個時段，並且發明晚間可用的「水鐘」計時，所以便將黑夜（黃昏至黎明）與白晝（黎明到黃昏）各自平分 12 小時計算，成為 12 小時制（12-hour clock）的雛型。到了 14 世紀，歐洲大多地方採用 12 小時制，並以凌晨（又稱子夜）00:00 為新的一天開始。

埃及位處北半球，在當地能觀察到太陽如左圖般運行，使投影杆的影子由右至左移動。這亦是現代時鐘的「順時針」概念源由。

a.m. p.m.

12 小時制須標示 a.m. 及 p.m.，略省標點時寫成 am 及 pm。

12 小時制與 24 小時制對照

12:00 noon
12:00 pm
12:00

• a.m.（上午）
拉丁文 ante meridiem 縮寫，ante 等同英文 before，即「中午之前」。

• p.m.（下午）
拉丁文 post meridiem 縮寫，post 等同英文 after，即「中午之後」。

06:00 am
06:00

DAY

NIGHT

06:00 pm
18:00

中文「上午」及「下午」，日文是「午前」及「午後」，03:00 am 會寫成「午前 3 時」。

約定俗成 12:00 am 是新一天開始（00:00），相對 12:00 pm 是中午。為免混淆，不少人會用 24 小時制。

00:00

12:00 midnight
12:00 am

解決混淆・24 小時制

⏱ 24 小時制更方便？

24 小時制時鐘

12 小時制時鐘

24 小時制統一了 00:00:01 至 23:59:59 的顯示時間，一看就知道是上午還是下午。

06:00 am（+00:00）➡ **06:00**

06:00 pm（+12:00）➡ **18:00**

考古發現，一天 24 小時制（24-hour clock）源於約公元前 4500 年至 3000 年的美索不達米亞文明。

24 小時制仍有英文舊稱 Military time（軍事時間），相比 12 小時制則稱為 Civilian Time（民用時間）。現在使用者大多跟軍事無關，只求時間易寫易明。

此外還有六十進制，制定 1 小時等如 60 分鐘、1 分鐘等如 60 秒。

考考你：時間都一樣嗎？

12 月 31 日 **24:00:00**

1 月 1 日 **00:00:00**

時間都一樣！約定俗成以 00:00:00 表達。

⏱ 30 小時制

看！我用魔法將一天變成 30 小時！

當代日本上班族生活日夜顛倒，常常工作至凌晨時分才就寢，若以凌晨「就寢時間」為一天分界線，未就寢前的時間就可「視為同一日」，產生「30 小時制」。

M 博士的時間魔法，其實是等如「朝三暮四」、「朝四暮三」的掩眼法！

M 博士・時間魔法

24 小時制	30 小時制
8 日 23:00	8 日 23:00
9 日 00:00	8 日 24:00
9 日 02:00	8 日 26:00
9 日 04:00	8 日 28:00
9 日 05:00	8 日 29:00
9 日 06:00	9 日 06:00 (=8 日 30:00)

日本營業至凌晨的燒肉店、居酒屋等餐廳，常常用 30 小時制標示營業時間。

營 16:00~25:00

翌日 01:00 ← 等如

⊙ 閏秒

李大猩 2016 年在除夕跨年倒數，他認為數碼時鐘有些異常，其實這是閏秒（Leap second）啊！

奇怪？

Current Local Time in **London**
23:59:60
Saturday 31 December 2016

閏秒的由來，要從 1972 年說起，在這年之前，世界各地使用兩個時間系統：

此資料由「香港特別行政區政府香港天文台」提供

鉋原子鐘

`21 39 18`

註：粵語「鉋」（sik1）讀「式」。

● 世界時（簡稱 UT1）
以天文觀測地球自轉一周確定 1 天時間，由英國倫敦的格林威治天文台 00:00:00 計起。

● 國際原子時（簡稱 TAI）
以鉋原子穩定的振盪周期來確定 1 秒的時間。

1950 年代美國率先使用鉋原子鐘（Caesium Beam Atomic Clock）授時，香港天文台 1980 年起使用的鉋原子鐘報時系統，以鉋原子振盪周期確定 1 秒，準確度達到每日 0.01 微秒以內。

註：1 微秒（microsecond）等如 1 百萬分之一秒。

由於地球自轉速度不平均，在一段時間後，上述兩個時間系統會出現「時間差」。

撥快：正閏秒

23:59:59

23:59:60 ←閏秒

00:00:00

為確保時間差不超過 0.9 秒，1972 年起，有國際天文機構大約每 6 個月公佈該年中或年末是否添加（正）或減少（負）1 秒，這就是閏秒。調整後的時間稱為「協調世界時」（簡稱 UTC），又稱世界標準時間。

這時候 23:59:60 就不等如 00:00:00 了！

Current Local Time in **Berlin**	Current Local Time in **Bangkok**
00:59:60	06:59:60
Sunday 1 January 2017	Sunday 1 January 2017

世界各地閏秒 為何不相同？

Current Local Time in **Hong Kong**	Current Local Time in **Tokyo**
07:59:60	08:59:60
Sunday 1 January 2017	Sunday 1 January 2017

最近一次閏秒出現於 2016 年 12 月 31 日 23:59:59 後，當時倫敦加了 1 秒閏秒，世界各地亦同步撥快 1 秒。注意世界各地處於不同 UTC 時區，例如香港位於 UTC ＋ 8 時區，所以閏秒就在 2017 年 1 月 1 日 07:59:60，各地因應所屬時區，在不同時段增加閏秒。

⏱ UTC 日期與時間

國際標準化組織（International Organization for Standardization，簡稱 ISO）制定「ISO 8601」，表示標準日期和時間，下例為最常見的日期和時間表示法。

柏林的閏秒　大寫字母 T 用來分隔日期和時間

2017-01-01T00:59:60+01:00

↑ 該區日期　該區時間 ↑　UTC+1 時區 ↑

一秒的世界

僅僅 1 秒，眨眼即逝，為何那麼緊張呢？

對於航天及全球 GPS 定位系統等來説，1 秒也不可偏差啊！

太空人回航時，延遲一秒開動返回艙的反推火箭，返回艙的地球落點就相差 9 公里。

◇◇◇◇◇ 東京證券交易所 ◇◇◇◇◇

日本的閏秒剛好是銀行及股票市場開市前一秒，為防交易出錯，

所以每次都要調整電腦系統對應「多了的一秒」。

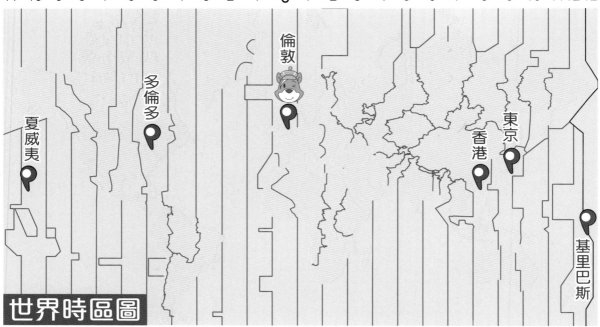

—（慢）⚙ UTC 時區 ＋（快）➡◀

此為新手入門簡化圖

11 10 9 8 7 6 5 4 3 2 1 0 1 2 3 4 5 6 7 8 9 10 11 12 12

倫敦

多倫多

夏威夷

東京

香港

基里巴斯

世界時區圖

英國倫敦的格林威治皇家天文台率先推進國際計時，日後的協調世界時（UTC）也由倫敦為中軸，劃分東（加快）及西（減慢）多個時區，一般可比較兩地的 UTC 時區數值，就可計算兩地時差。

示例

夏威夷		多倫多	倫敦		香港	東京
UTC−10		UTC−5	**UTC**		UTC＋8	UTC＋9
31stDec		31stDec	1stJan		1stJan	1stJan
14:00		19:00	00:00		08:00	09:00

城市時差

UTC＋8的香港與UTC＋9的東京的時差不難看到是1小時，多倫多UTC−5與夏威夷UTC−10的時差是 5 小時，香港與夏威夷的時差也可用時間減法計算到：

08:00（香港＋一天 24:00）− 14:00（夏威夷）
（兩地時差）32:00 − 14:00 = 18 小時

注意時區規劃受地緣環境左右，並非均一劃分，例如：
- UTC 時間數值未必是整數：例如印度UTC＋5.5、尼泊爾UTC＋5.45。
- 地理特例：島國「基里巴斯」特別編入 UTC＋13及UTC＋14，也是全球最早迎接元旦日出的地方。

貨幣・通脹與通縮

市面貨幣量的多寡，對物價有何影響？

遇上通脹或通縮，有何對策？

德國 1923 年惡性通脹下的巨額郵票

德國 1923 年 1 月郵寄國內信件只需 20 馬克，到 8 月升到 8000 馬克，10 月已是二百萬馬克，到 12 月升到 500 億馬克！10 月用右圖的郵票還可湊數寄信，到 12 月已不能了！

1 百萬馬克

2 百萬馬克

5 百萬馬克

如何演進至
現代貨幣？

古代人類部落用「以物易物」（Barter economy），即商品交換商品，後來用公認的貝殼及貴金屬等，作為衡量商品價值的中介，這是「貨幣」的雛型。數百年前印刷術後興起，世界各國及地區印製方便攜帶的紙幣，發展至今為現代貨幣。

香港的貨幣

各國各地貨幣都加上防偽特徵，一般經由當地政府核准的機構製造並發行。香港法定硬幣由政府直接製造及發行，並按照市場需求，直接監管。

香港法定紙幣

現時，十元紙幣由香港金融管理局發行。其他面值則由三家法定發鈔銀行，以首次發鈔年份排序，分別是渣打銀行（香港）、香港上海匯豐銀行及中國銀行（香港），由香港印鈔有限公司印製紙幣。

香港三大發鈔銀行

- 渣打銀行（香港）有限公司
- 香港上海匯豐銀行有限公司
- 中國銀行（香港）有限公司

資料來源：香港金融管理局（www.hkma.gov.hk）

香港十元：硬幣與紙幣並通

香港 1994 年鑄造十元硬幣，鑑於市面對十元紙鈔仍需求甚殷，2002 年香港政府委託香港金融管理局發行十元紙幣，到 2007 年發行首張塑膠十元鈔票，與十元硬幣一同流通市面。

穩定的貨幣

三間發鈔銀行印製紙幣後，按港府規定必須支付一筆按金給香港金融管理局，才可發行相關數量金額紙幣，確保市面貨幣穩定。

例如每發行 $78000 港元，就按聯繫匯率（Linked exchange rate）約 HK$7.8 = USD$1，支付 $10000 美元作按金。

通貨膨脹

簡稱：通脹 Inflation

過量？

時常聽到「通貨膨脹」一詞，這是因為市面流通的法定貨幣過量嗎？

大家都想買香蕉

加價！

香蕉 ~~$4~~ → $10

通貨膨脹現象是指市場整體物價持續上調，原因林林總總。其一說法是某經濟體貨幣流通量過盛，而且大部分貨幣流到大眾手上，增加大眾購買商品意慾；另一方面商品產量並無相應調整，變成「求過於供」，商品價格如無其他原因左右，價格就容易上升。

推出新鈔

銷毀舊鈔

香港發鈔銀行支付按金發行新紙幣，同時也回收舊鈔銷毀，港府確保市面流通的貨幣適量，穩定社會經濟。

政府

生產者　　　　　消費者

紓緩通脹

政府可推行措施，令某必需品或服務價格隱定，例如：
- 給予生產者補貼，減低成本。
- 給予消費者津貼，應付該必需品或服務價格上升的差額。

通貨緊縮

簡稱：通縮 Deflation

消費者
最近香蕉滯銷，只好降價促銷求售，儘快賣出吧！

生產者

我有一定儲蓄，現在買得起香蕉，但多等一會説不定能買更多？

消費者
我打工收入不穩定，手上的錢不多，還是減少消費了！

香蕉
$4→$1

　　跟通貨膨脹相反，市面物價持續下跌的現象稱為「通貨緊縮」，偶爾短期的價格回落並不屬於「通縮」。通貨緊縮的原因之一是某經濟體貨幣流通量減少，有穩定收入或儲蓄者傾向減少消費，期待物價繼續下跌，未來便可買更多。另一方面，不穩定收入者恐怕未來收入減少，也傾向減少消費，兩者都令市場上商品滯銷，提供食物或有使用期限商品的生產者惟有割價求售，如此惡性循環，引致失業率高企及經濟衰退。

加息？
減息？

銀行利息與通脹

　　除加印新鈔、回收舊鈔控制貨幣流通量外，政府可通過變更銀行利率：**加息**吸引貨幣流入銀行儲蓄，紓緩通脹；**減息**去促進貨幣流通，刺激消費，減少通縮。

在銀行儲蓄的利息豐厚，可暫時消費少一點，放多點錢到銀行收到更多利息啊！

減少消費

紓緩通脹
加息

Bank

減息
減少通縮

增加消費

反正在銀行儲蓄的利息很少，不如拿點錢出來買點東西或付費上興趣班進修，充實自己吧！

惡性通貨膨脹
Hyperinflation

德國
1921
至
1924

經濟學者認為，溫和的通貨膨脹能促進經濟增長，但「惡性通貨膨脹」即市場物價失控飆升，嚴重時引起社會混亂，例如德國在威瑪共和國時代，1921 年至 24 年發生惡性通脹。

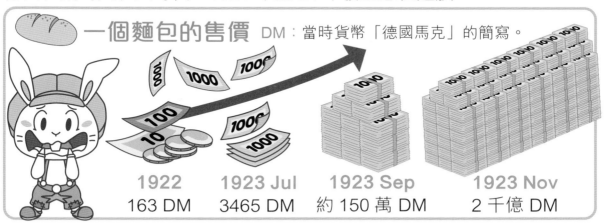

一個麵包的售價　DM：當時貨幣「德國馬克」的簡寫。

1922	1923 Jul	1923 Sep	1923 Nov
163 DM	3465 DM	約 150 萬 DM	2 千億 DM

德國在 1920 年代初為繳付第一次世界大戰的戰敗國巨額賠償，無奈大量印鈔充當賠款，令國內貨幣數量急劇增加，商品價格飆升，社會混亂。市面出現工人拿籃子領取薪金，客人用一籃紙幣買一個麵包的奇景。

量化寬鬆

Quantitative easing，簡稱 QE
量化寬鬆（QE）是與「通脹」與「通縮」並列的流行語，這跟發鈔有莫大關係。

「量化」指銀行向市場加推指定金額的貨幣。

Bank
量化
一定數額
市場

對比於歷史上近乎無限量發鈔，引致惡性通脹的事例，量化寬鬆是有計劃的增鈔，為解決市面通縮，大眾消費意慾下降的氣氛，從而扭轉為溫和通脹，促進經濟流通。

安倍
經濟學

日本

2012 年起日本實行「安倍經濟學」，其中一項為「量化寬鬆」，增發日圓紙幣，促進民間消費。日圓對他國貨幣匯率下降，減低日本向外國傾銷售產品的售價，創造「價廉物美」的形象。不過日圓在外國的購買力也減低，所以沒有一個對策是面面俱圓的。

挑戰趣味智力題

看完一堆算式，會不會感到頭昏腦脹？來玩玩智力題，幫腦筋鬆一鬆，突破數字的框架吧！別讓算式限制邏輯思維啊！

運動一 煙花晚會

解難重點 圖像化思考 + 計算

每年除夕，全球很多城市都會舉辦煙花晚會。每放完 1 發，都要隔幾秒才能放下 1 發，如果連續放 5 發需時 20 秒，連續放 10 發需時多久？

提示：
別以為每 4 秒放 1 發煙花！你試試畫出 5 個圓點，用直線連起 5 點，就知道每發煙花隔了幾秒。

運動二 挖隧道

解難重點 觀察 + 想像

3 名工人各要挖 1 條隧道前往指定地點。他們在同一個深度挖掘，工人 A 要挖去 A 地點，工人 B 要挖去 B 地點，工人 C 要挖去 C 地點。但隧道的路線不可相交，或超越長方形的施工範圍。

如圖，工人 C 已經挖好一條隧道，工人 A 和 B 應怎樣挖呢？

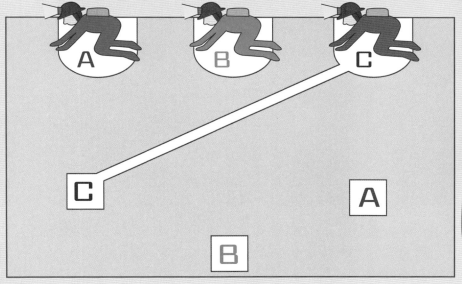

提示：
工人 B 的隧道呈 S 字。

答案在第 52 頁

運動三 讓賽

解難重點 計算 ＋ 分析

李大猩與狐格森進行 100 米賽跑，李大猩衝過終點時，狐格森只跑了 95 米。然後，李大猩決定讓賽，退後 5 米起跑，再和狐格森比賽一次。請問這一次誰先到終點？還是他們同時衝線呢？

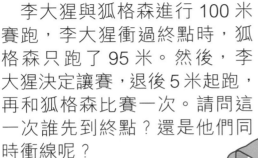

提示 A：
狐格森的速度是李大猩的幾％？

提示 B：
李大猩的賽程是 105 米，當狐格森跑了 95 米，李大猩距離終點多遠？試從這裡開始推想吧！

運動四 排列糖果

解難重點 觀察 ＋ 分析

牛奶糖　　　　　巧克力

以上有牛奶糖及巧克力各 4 顆。請移動糖果 4 次，令牛奶糖及巧克力交替地（梅花間竹）排列。

每次移動糖果時，必須一起移動相鄰的 2 顆，但不可將它們左右對調，或變成直排。

提示：
首 2 次，每次移動 2 顆相同的糖果。
後 2 次，每次移動 1 顆牛奶糖及 1 顆巧克力糖（相鄰而不同顏色）。

運動五 瓶子的容量

解難重點 計算 ＋ 推理

3名少年偵探隊員一起打工，老闆付足工錢後，再打賞每人 18 公升果汁，可是瓶子的數量和尺寸都不同。

大中小 3 種尺寸的瓶子，容量各幾公升？（容量一律是整數）

提示：1 大瓶容量＝ 2 中瓶容量。試把小老鼠的瓶全部當成小瓶來看。

運動六 推骰子

解難重點 圖像化思考 ＋ 圖形理解

下圖有 16 個正方形小格子。小兔子推動骰子，從起點沿箭頭方向滾動，直至到達終點為止。如果一邊推動骰子，一邊把面向上的點數加起來，16 格的總點數是多少呢？

提示：想想骰子底及面點數的和，例如 2 的對面是 5、3 的對面是 4，即骰子底＋面的點數都是 7。滾完首 4 格後，點數一共多少？試試每 4 格算一次吧！

起點
終點

答案在第 52 頁

答案

運動一

放 5 發煙花時，時間的間隔只有 4 個，即 20÷4＝5，每發需時 5 秒。

放 10 發煙花，時間間隔就只有 9 個，需時 9×5＝45 秒。

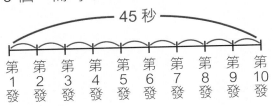

運動二

按下圖路線挖隧道即可。

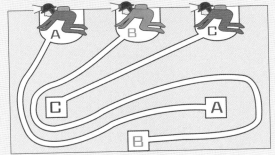

運動三

李大猩後退了 5 米起跑，所以他跑了 100 米就到達狐格森跑到 95 米的位置，二人並排，距離終點尚餘 5 米。

狐格森的速度是李大猩的 $\frac{95}{100}$ ＝ 95%，按這比例，一起跑剩下的 5 米，當李大猩衝線，狐格森只跑了 5×95% ＝ 4.75 米，所以仍是李大猩勝出。

運動四 按以下步驟即可：

運動五

答案是大瓶 6 升，中瓶 3 升，小瓶 1 升。

已知 1 大瓶＝ 2 中瓶。如圖，將小老鼠的 1 大瓶換成 2 中瓶，再比較小樹熊的瓶數，可發現 1 中瓶＝ 3 小瓶。

再將小老鼠的 5 中瓶換成小瓶，即 5×3 ＝ 15 小瓶，加上原有 3 小瓶，合共 18 小瓶，表示 1 小瓶＝ 1 升。

運動六

答案是 56。先把格子看成 4 格 1 組，就會有 4×4 組，如圖：

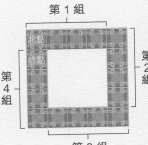

骰子點數底＋面＝7，所以每組第 1 及第 3 格的和就是 7，而第 2 及第 4 格的和也是 7，使每組點數合計 7×2 ＝ 14。因此，4 組的點數總和就是 7×2×4 ＝ 56。

兩大 DIY 遊戲

本卷有兩大輕鬆易玩的遊戲：
- 周遊列國去**環遊世界**，認識時間、距離和速率；
- 加入**海上拯救隊**，運用方向概念拯救遇險者。

兩大遊戲既益智又有趣，讓大家輕鬆進入數學世界！

材料

本書提供
的紙樣

自備剪刀

自備
膠水

製作方法

製作時間：30 至 45 分鐘　難度：★★★☆☆

遊戲板 A 及 B

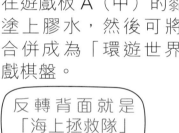

請剪下遊戲板 A（左）、（中）、（右）3 塊紙樣，在遊戲板 A（中）的黏合處塗上膠水，然後可將它們合併成為「環遊世界」遊戲棋盤。

反轉背面就是「海上拯救隊」遊戲棋盤了！

正面　遊戲板 A（環遊世界）

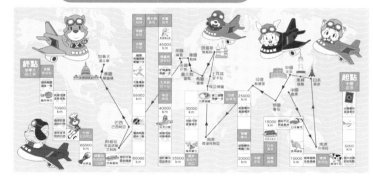

背面　遊戲板 B（海上拯救隊）

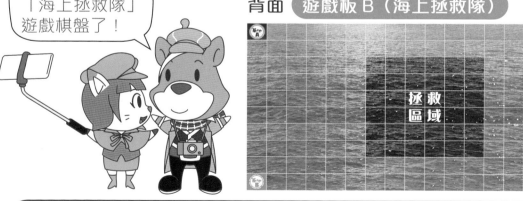

速率骰及時間骰

把紙樣剪下，沿虛線向外摺，塗上膠水黏合即可。

棋子、遇險者及障礙物

都是沿紙樣剪下即可。

2 大有趣玩法

玩法 一 環遊世界 （2至4人玩）

「環遊世界」加入速率、時間和距離元素，玩家要與對手鬥快完成整個旅程，旅途上會遇到意想不到的事情，益智又刺激！

步驟 1 每人選 1 顆棋子放在環遊世界遊戲板的起點（中國香港）上，再決定次序輪流擲骰。玩家同時擲出速率骰及時間骰，並將兩數相乘，得出前進距離：

$$距離（distance）= 速率（speed）× 時間（time）$$

 速率骰 時速（km/h） × 時間骰 小時（h） = 3000 km

起點 中國香港 ← 1000 km

福 心情暢快 直達東京 ← 2000 km

← 3000 km

棋盤上每格等於 1000km，相乘得 3000km，所以前進 3 格。計算得出距離若非千位整數，例如 4800km，因不足 5000km，只能前進 4 格。當距離太短例如是 500km × 1h = 500km，因不足 1000km，就不能前進。

步驟 2
 心情暢快 直達東京 → 日本 東京 深造球技 回到巴西 → 巴西 巴西利亞

 忙購套娃 停擲一次

 越過 英倫海峽 獎擲一次

有些格子印上飛行指示，例如到達「心情暢快 直達東京」格子，就直接跳到「日本東京」。相反，到達「深造球技 回到巴西」格子，就要折返「巴西巴西利亞」。

步驟 3 WIN

 終點 加拿大 渥太華

玩家最先抵達終點（加拿大渥太華）就勝出！注要必須擲到剛好到達終點的點數，否則多了幾點就要倒退幾格。

還有停擲及獎擲格子。

玩家轉身為海上拯救隊成員，拯救在海上遇險者到安全地方。你要認清方向，完成救人任務。

玩法 三 海上拯救隊 2至4人玩

步驟 1

玩家棋子

每人以「海上拯救隊遊戲板」上一個基地為根據地，並放置 1 顆棋子。然後定先後次序。

步驟 2

遇險者位置

將 10 顆「遇險者」放在棋盤的「拯救區域」內，擺放位置由所有玩家輪流或擲骰最大者決定。

HELP~ ×10

步驟 3 障礙

玩家每人獲派 2 顆「障礙物」，按策略放在遊戲板上任何位置，增加自己搶先救走遇險者的機會。注意不能放在右方紅點位置，圍堵其他玩者。

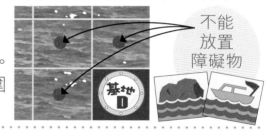

不能放置障礙物

步驟 4

移動方式

西北　　北　　東北

西　　　　　　東

西南　　南　　東南

- 遊玩時棋盤的上方是北。
- 玩家有 8 個移動方向，並輪流選定 1 個方向，隨策略橫移、直移、斜跳 1 或 2 格。
- 玩家一邊說出方向及格數，一邊移動棋子。**方向與所說的相同才正確，否則退回原位，並暫停 1 次，輪到下一位玩者。**
- 移動時不能穿越或停留有障礙物的格子。

步驟 5

拯救遇險者

玩家棋子到達遇險者的位置後，要帶遇險者返回基地，才能折返拯救第 2 人。

直移一格　斜跳一格　橫移一格

大家也可隨喜好，自訂遊戲規則。

2 人遊玩，先救起 5 名遇險者勝。
3 人遊玩，先救起 4 名遇險者勝。
4 人遊玩，先救起 3 名遇險者勝。

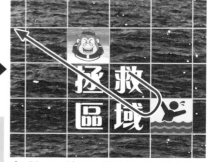

↑ 救人後隨即返回基地。

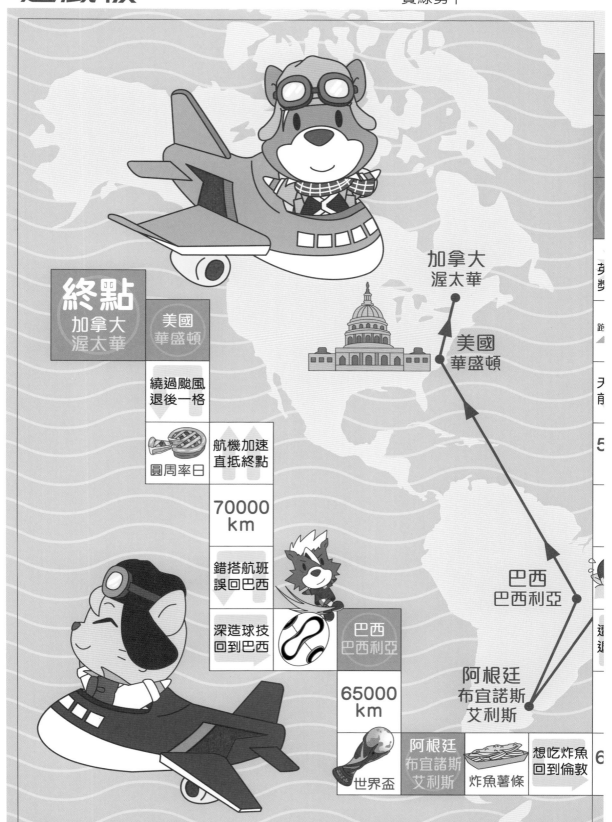

終點
加拿大
渥太華

美國
華盛頓

繞過颱風
退後一格

圓周率日

航機加速
直抵終點

70000
km

錯搭航班
誤回巴西

深造球技
回到巴西

巴西
巴西利亞

65000
km

世界盃

阿根廷
布宜諾斯
艾利斯

炸魚薯條

想吃炸魚
回到倫敦

加拿大
渥太華

美國
華盛頓

巴西
巴西利亞

阿根廷
布宜諾斯
艾利斯

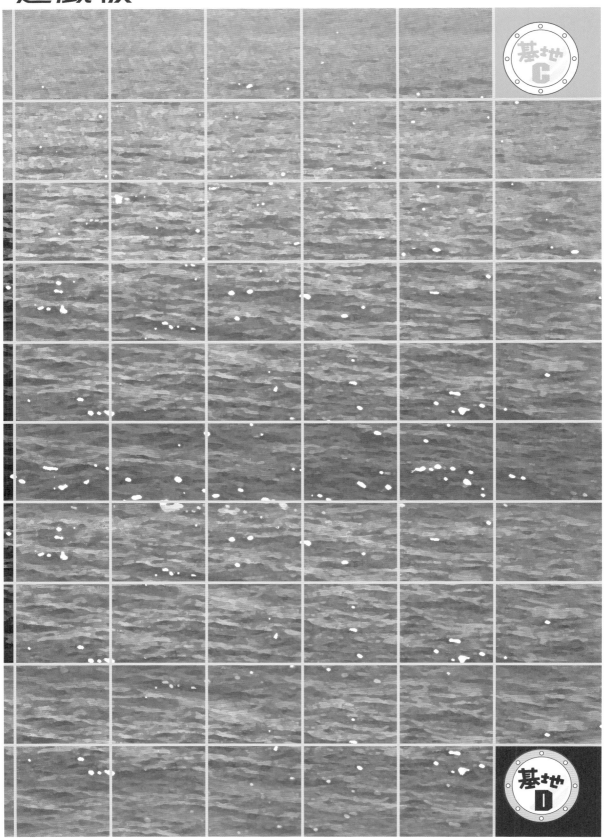

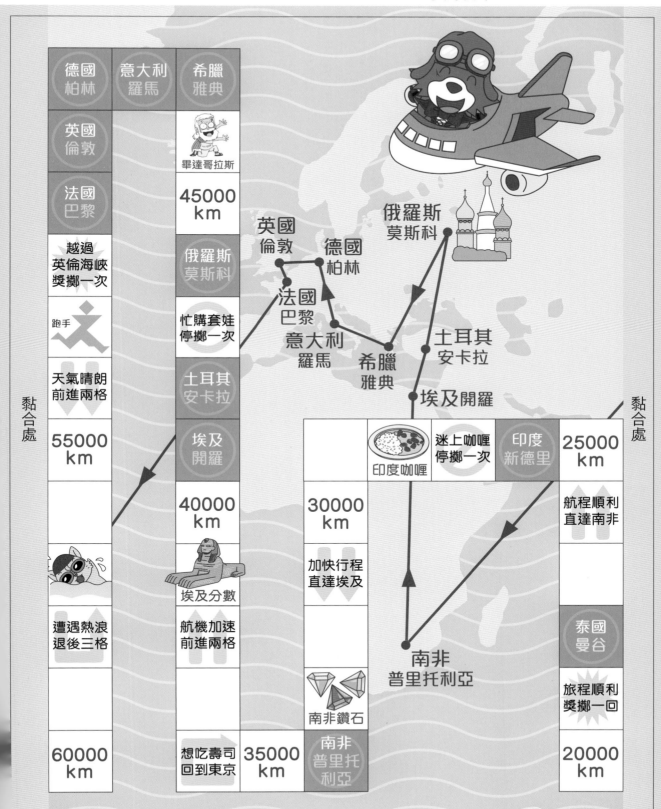

德國 柏林	意大利 羅馬	希臘 雅典
英國 倫敦		畢達哥拉斯 45000 km
法國 巴黎	俄羅斯 莫斯科	
越過 英倫海峽 獎擲一次	忙購套娃 停擲一次	
跑手	土耳其 安卡拉	
天氣晴朗 前進兩格	埃及 開羅	
55000 km	40000 km	30000 km
	埃及分數	加快行程 直達埃及
遭遇熱浪 退後三格	航機加速 前進兩格	
	南非鑽石	
60000 km	想吃壽司 回到東京	35000 km

		印度咖喱	迷上咖喱 停擲一次	印度 新德里	25000 km
					航程順利 直達南非
				泰國 曼谷	
				旅程順利 獎擲一回	20000 km

黏合處　　黏合處

南非
普里托利亞

南非
普里托利亞

俄羅斯
莫斯科

英國
倫敦　德國
柏林

法國
巴黎

意大利
羅馬　希臘
雅典

土耳其
安卡拉

埃及開羅

拯救
區域

遊戲板 A（右）

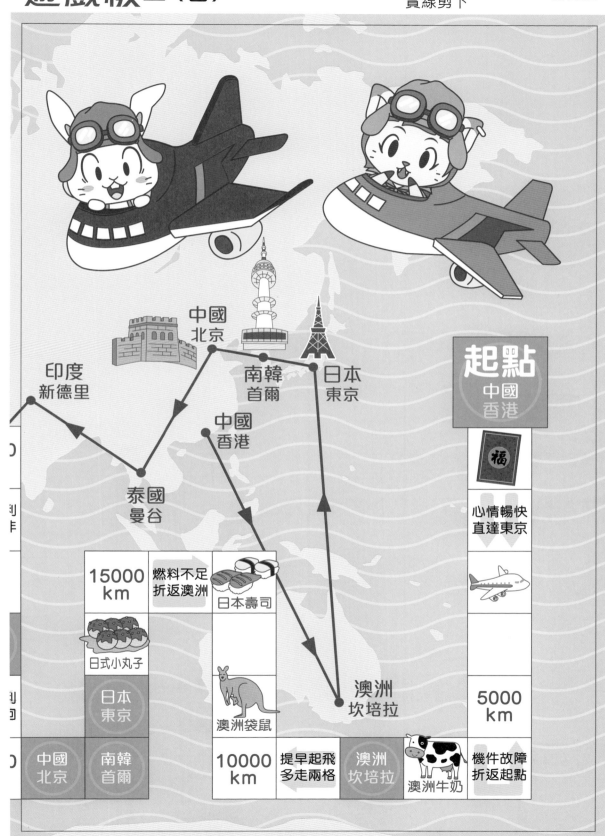

起點
中國
香港

心情暢快
直達東京

5000
km

印度
新德里

中國
北京

南韓
首爾

日本
東京

中國
香港

泰國
曼谷

15000
km

燃料不足
折返澳洲

日本壽司

日式小丸子

日本
東京

澳洲袋鼠

澳洲
坎培拉

中國
北京

南韓
首爾

10000
km

提早起飛
多走兩格

澳洲
坎培拉

澳洲牛奶

機件故障
折返起點

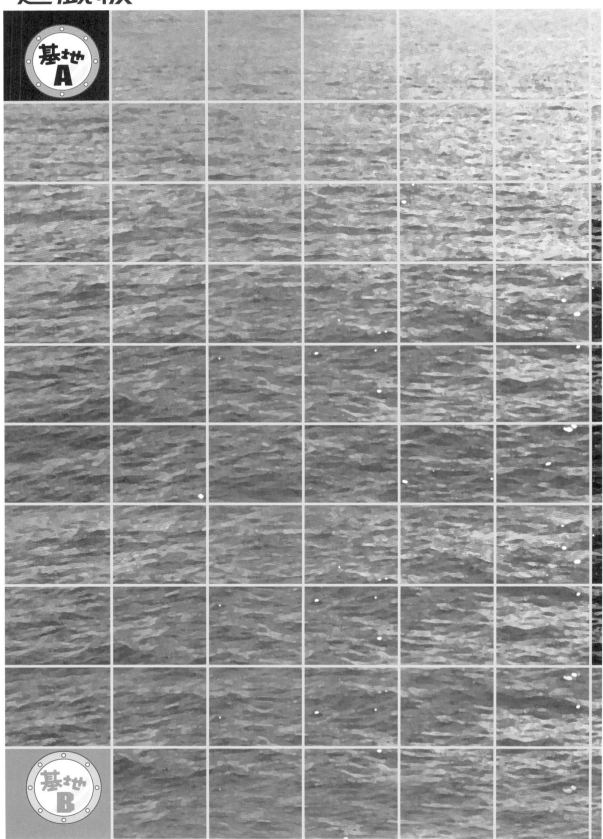

棋子 環遊世界

棋子 海上拯救隊

障礙物

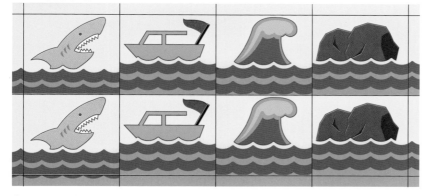

遇險者

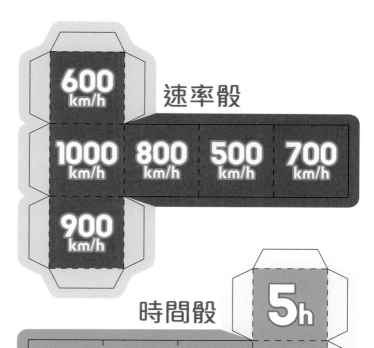

速率骰

600 km/h
1000 km/h 800 km/h 500 km/h 700 km/h
900 km/h

時間骰

5h
3h 1h 4h 6h
2h

請沿虛線向外摺

沿黑色實線剪下

黏合處

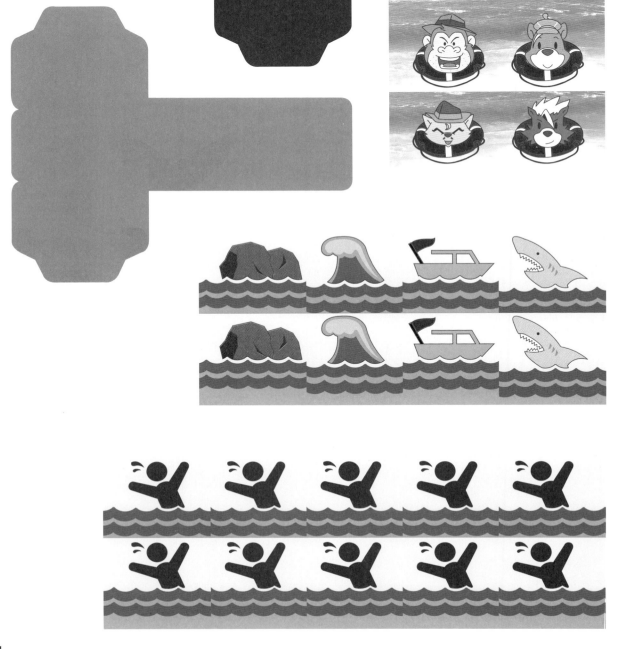

曆法大改革

利烏斯
Aloysius Lilius
（1510~1576）
意大利天文數學家
發明格里曆

小進
求知欲強的小四學生。

叮叮
來自數學世界的小精靈。

小凌
小進的好朋友。

＊利烏斯：亦有人稱作「里利烏斯」

啊！原來是這樣嗎？

怎麼了？

漫畫：姜智傑　劇本：匯識教育創作組

每 4 年就有 1 個閏年，但原來也有例外，超過 4 年卻無 1 天閏日！

是《加減乘除之卷》書中 P.23 寫的嗎？

是啊！當年份以 100 為單位，但不能被 400 整除時，就不是閏年⋯⋯

例如 1700 年、1800 年和 1900 年都除不盡 400，所以不是閏年呢！

沒錯！現在所謂的公曆或西曆其實叫「格里曆」，是意大利天文學家利烏斯制定的，這個曆法⋯⋯

叮叮，你帶我們去找利烏斯吧！

沒問題！

你真心急～

哇哇哇！

16 世紀
意大利

哎——

利烏斯先生！
你好嗎？

哇！

不好意思，
嚇到你嗎？

我才不好意思呢！
剛才太專心計算，
沒有注意到你們。

你在計算
甚麼啊？

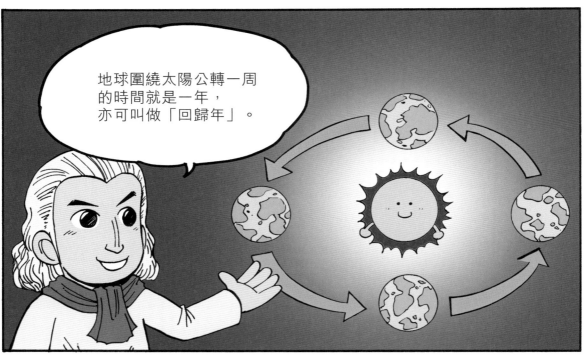

利烏斯要制定新曆法，是因為教宗發現他們正在使用的「儒略曆」…

在計算回歸年上有錯誤，使一些與時節有關的節日日期年年也不同。

儒略曆中 1 年有 365 天，每年有 12 個月，每 4 年就在 2 月裏多加 1 個閏日，即每 4 年就會有 1 年有 366 天。

儒略曆月份的名稱和每個月的日數就寫在這張紙上。

Januarius   31 days
Februarius   28/29 days
Martius   31 days
Aprilis   30 days
Maius   31 days
Junius   30 days
Julius   31 days
Augustus   31 days
September   30 days
October   31 days
Novembis   30 days
December   31 days

啊？儒略曆不就是我們現在使用的西曆嗎？

不，我們繼續聽利烏斯解釋吧！

以 4 年為一個循環，4 年共有 365×3+366 = 1461 天。

再除以 4，即平均每個回歸年有 365.25 天，不過……

$$(365 \times 3 + 366) \div 4$$
$$= 1461 \div 4$$
$$= 365.25$$

我認為這並不是最正確的天數…

回歸年的時間應該更短，我要計算出來，以糾正儒略曆的誤差！

我馬上就能算出結果！你們先出去一下，讓我專心計算吧！

啊？

……

我算出來了！

答案是多少天？

地球圍繞太陽公轉一周的正確時間為 365.2422 天！

365.2422

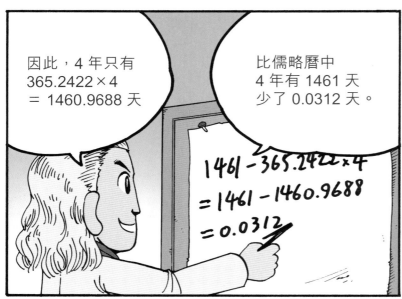

因此，4 年只有
365.2422×4
＝ 1460.9688 天

比儒略曆中
4 年有 1461 天
少了 0.0312 天。

$$1461 - 365.2422 \times 4$$
$$= 1461 - 1460.9688$$
$$= 0.0312$$

運用儒略曆，
累積 400 年後⋯

就會多出
$0.0312 \times \frac{400}{4}$
＝ 3.12 天，
即大約 3 天。

$$0.312 \times \frac{400}{4}$$
$$= 0.312 \times 100$$
$$= 3.12$$

原來如此！

那你打算怎樣
改良啊？

既然每 400 年
就會多 3 天，那只要
在 400 年中，剔除
3 個閏日就可以了！

那即是怎樣呢？

在儒略曆中，
每 4 年有 1 個閏日，
即 400 年就有 100 個閏日。

四年 = 1 閏日

400 年 = 100 閏日

只要剔除其中 3 個，
剩下 97 個閏日，
曆法就會變得更準確！

= 97 閏日

啊！原來
是這樣！

以 400 年為一個循環，
年份若能被 4 整除，
該年就是閏年…

但當年份以 100
為單位，卻不能
被 400 整除時，
那一年就無閏日。

即是說 1600 年和 2000 年就有閏日，但夾在這兩年之間的 1700 年、1800 年和 1900 年就沒有閏日。

對了，你還挺聰明啊！

那馬上就推行新曆法吧！

還未可以！

啊？

儒略曆實施了這麼多年，累積下來的誤差已多達 10 天……

我打算向教宗提議先刪除 10 天，才開始實施新曆法。

我現在要去找教宗了，再見！

再見！

這個曆法被採用的那一刻，利烏斯一定很高興！

對呢！

但這曆法在他死後約 6 年才被採用呢。

甚麼？你可以帶我們去看看他的墓碑嗎？

沒問題！

1582 年 10 月 15 日（格里曆）
利烏斯的墓前

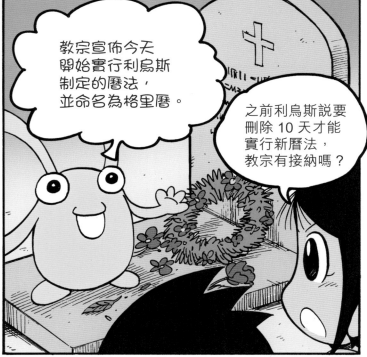

教宗宣佈今天開始實行利烏斯制定的曆法，並命名為格里曆。

之前利烏斯說要刪除 10 天才能實行新曆法，教宗有接納嗎？

有啊！今天是
1582 年 10 月 15 日
而昨天就是
1582 年 10 月 4 日。

剛好跳過
10 天呢！

教宗採用了
我的提議，
實在
太高興了！

我衷心感謝
你們的支持！

你們有感到
一陣寒意嗎？

好像有點
恐怖呢⋯⋯

我們還是
快回家吧！

本集完

利烏斯的貢獻

利烏斯計算出 1 年有 365.2422 天，從而制定 **格里曆（Gregorian Calendar）**，又譯作格列高里曆，名稱來自當時施行曆法的教宗·格列高里十三世（Gregory XIII）。

舊曆法儒略曆的問題

儒略曆四年一閏，4 年共有 365×3 ＋ 366 ＝ 1461 天，平均每年 365.25 天。但 **實際上** 1 年只有 365.2422 天，所以儒略曆每 4 年就會多出 0.0312 天。

儒略曆每 4 年多出
$$= (365 \times 3 + 366) - 365.2422 \times 4$$
$$= 1461 - 1460.9688$$
$$= 0.0312$$

儒略曆 **累積** 100 個 4 年 ＝ 400 年，就會多出 3.12 天。

累積 400 年多出
$$= 0.0312 \times \frac{400}{4}$$
$$= 0.0312 \times 100$$
$$= 3.12$$

格里曆修訂後……

為了 **抵銷** 上述的 3.12 天，格里曆修訂為「每 400 年只有 97 個閏日」。但即使刪去 3 天，每 400 年還是會多出 3.12 － 3 ＝ 0.12 天，累積每 3200 年就會多出 0.12×（3200÷400）＝ 0.96 天。

$$\text{累積 3200 年就會多出} = (3.12 - 3) \times \frac{3200}{400}$$
$$= 0.12 \times 8$$
$$= 0.96 \text{ 天}$$

0.96 很接近 1，因此 **每 3200 年就多出接近 1 天**。往後 3200 倍數的年份，即使能被 400 整除，亦無閏日，這樣曆法才更準確。

奇趣數量詞與單位

世界三大・統計符號

世界大部分國家及地區常用「5進」創出計算符號（Tally mark），方便稽查核對。你覺得哪個易看又好算？

中國
日本
韓國
及其他漢
字圈地區

歐洲
（西班牙外）
澳洲
北美地區

西班牙
巴西
智利
阿根廷

大數 數量詞

孫子算經·卷上

凡大數之法，
萬萬曰億，萬萬億曰兆，
萬萬兆曰京，萬萬京曰陔，
萬萬陔曰秭，萬萬秭曰壤，
萬萬壤曰溝，萬萬溝曰澗，
萬萬澗曰正，萬萬正曰載。

約5世紀中國的算術書《孫子算經》，介紹過大額數字的單位。

當時記述已到10^{44}，即10的44次方，有44個零。

古文「曰」（粵：若）解「是」，寫法不同於「日」。「萬萬曰億」即「一萬個一萬就是一億」。

算學啟蒙

凡大數之法……
萬萬載曰極，
萬萬極曰恆河沙，
萬萬恆河沙曰阿僧祇，
萬萬阿僧祇曰那由他，
萬萬那由他曰不可思議，
萬萬不可思議曰無量數。

孫子算經後也出現「極」：最大的「單一漢字」量詞。印度佛教傳入中國數百年後，連帶印度數學量詞廣為人知，元代《算學啟蒙》（1299年），記述印度數學的大數量詞，最大的數就是「無量數」（又稱：無量大數）。

形容「數不盡」的成語「恆河沙數」，也源於這個量詞概念啊！

【恆河沙數】

印度數學

無量數 10^{68}
不可思議 10^{64}
那由他 10^{60}
阿僧祇 10^{56}
恆河沙 10^{52}

古漢字文化上的大數

極 10^{48}
載 10^{44}
正 10^{40}
澗 10^{36}
溝 10^{32}
穰 10^{28}
秭 10^{24}
垓 10^{20}
京 10^{16}
兆 10^{12}
億 10^{8}
萬 10000
千 1000
百 100
十 10
個 1

紀念 代名詞

創校 50 年金禧紀念

在街上常看到商店或品牌慶祝成立的「禧年」，這是怎麼解呢？

禧年（Jubilee）說法，源自《聖經》舊約〈利未記〉及〈以賽亞書〉，意謂「大恩赦之年」。經歷數百年後演變為君主登基年數、學校、品牌及機構開設年期，以及結婚周年等記念代名詞。

皇家禧年
Royal Jubilee

源於 1809 年的英皇喬治三世登基 50 年慶典，自此英國在君主登基後以五進及十進計，到達某個年期舉行慶典，是為「皇家禧年」，並以金屬或寶石命名該禧年。

在福爾摩斯時代，維多利亞女皇舉行過登基「金禧」（1887年）及「鑽禧」（1897年）慶典。

年期	名稱
第 25 年	銀禧（Silver jubilee）
第 40 年	紅寶石禧（Ruby jubilee）
第 50 年	金禧（Golden jubilee）
第 60 年	鑽禧（Diamond jubilee）
第 65 年	藍寶石禧（Sapphire jubilee）
第 75 年	白金禧（Platinum jubilee）

結婚紀念
Wedding anniversary

現代社會跟隨「皇家禧年」，創出第 1 至 20 年等多個周年紀念名稱，以下介紹英國式說法。

首年：紙婚（Paper）	第 10 年：錫婚（Golden）
第 2 年：綿婚（Cotton）	第 15 年：水晶婚（Crystal）
第 3 年：皮婚（Leather）	第 20 年：瓷婚（Porcelain）
第 4 年：絹婚（Silk）	第 25 年：銀婚（Silver）
第 5 年：木婚（Wood）	第 30 年：珍珠婚（Pearl）

第 40 年至第 75 年都跟皇家禧年用同一金屬或寶石代表。

長度　海里

Nautical Mile
縮寫 nmi 或 nm

各國為配合航海地圖測量距離，所以訂立航海使用的長度單位「海里」，20 世紀後航空業界也引用為其中一種航空距離單位。

1929 年國際會議上，各國訂立 1 個「國際海里」(International nautical mile) 等如 1852m，即 1.852 km。

1 海里最初訂為通過南極及北極的緯度的 1 分，1 圈 = 360 度，1 度 = 60 分，所以約為地球圓周 ÷360÷60，但各國推算的 1 海里長度也有差異，故須開會決定海里長度。

引伸到航海速度，若一小時走了 1 海里，就是 1 節 (knot)

長度　光年

Lightyear
縮寫 ly

光年很長，光秒較短，月球與地球距離約 1.255 光秒，即約 384,400 km。

若沒有大氣層阻擋，1 光秒可繞地球七圈半，約 0.13 光秒走地球一圈。

光年是用時間概念訂立的長度單位，是指光波在真空環境傳遞一年的距離，此單位常用於天文學，量度宇宙星體的距離。光在真空的秒速約 3 億米，準確計算為 1 光秒有 299,792,458 m（299,792.458 km）。1 光年大約等於：

1 光秒長度	1 光年換算光秒
299,792,458m	×（365 天 × 24 小時 × 60 分鐘 × 60 秒）

= 299,792,458m × 31,536,000 秒
= 9,460,730,472,580,800 m（約 9 兆 5000 億 km）

織女星與地球距離約 25 光年。

長度 碼 呎 吋

Yard 縮寫 yd
Foot 縮寫 ft
Inch 縮寫 in 或 "

現在國際慣用十進制的「米」，但英國制訂的長度單位，仍在部分領域使用，例如香港的房屋大小、量度布匹及身高、國際球賽「踢 12 碼」龍門，所以要學懂呎吋與米的換算啊！

1 碼 = 3 呎

1 呎 = 12 吋或 $\frac{1}{3}$ 碼

英制呎吋 1 吋 = $\frac{1}{12}$ 吋或 $\frac{1}{36}$ 碼

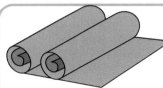

香港規定互換標準

1 碼 = 0.9144 米（準確值），即 91.44 厘米。

1 呎 = 91.44 厘米 ÷ 3，即 30.48 厘米。

1 吋 = 91.44 厘米 ÷ 36，即 2.54 厘米。

齊來算算 12 碼射球距離吧！

約 10.9728 米。

面積 公頃

Hectare 縮寫 ha

表示廣大面積的土地，例如郊野公園有多大，一般常用公頃，例如獅子山郊野公園佔地達 557 公頃，至於公畝較為少用。

1 公畝 = 100 平方米（m²）或 0.01 公頃

1 公頃 = 100 公畝或 10000 平方米（m²）

1 平方公里 = 100 公頃或 1,000,000 平方米（m²）

面積再大就要用平方公里啊！

香港島面積

78.64 平方公里

面積等如多少個 維園？

一般大眾未必想到 1 公頃有多大，但 1 公頃剛好等如 1 個標準足球場，香港媒體都用多少個「標準球場」，或「維多利亞公園」（佔地約 19 公頃），去形容某場地大小，就顯得親民。

克拉

Carat
縮寫 ct
重量

克拉又稱「卡」，是釐定鑽石及珠玉等貴金屬重量的單位。1克拉轉換為公制重量的「克」（gram），就等如0.2克或200毫克（mg）。

因寶石體積細小，克拉可細分為100份表達。世界紀錄的十大鑽石，重量都在數百至數千克拉內。

世界最大鑽石

世界最大的天然鑽石是1905年在南非掘出的「庫里南鑽石」（Cullinan Diamond），未經打磨時重達3106.75克拉，即621.35克。此石後來打磨為9大塊，為英國皇室珍藏。

不知肥鵝吞下的藍寶石有多少克拉呢？

＊詳見《大偵探福爾摩斯③肥鵝與藍寶石》

黃金純度的K

黃金柔軟，必須混合其他金屬煉為「黃金合金」，才可使用。以前部分地區也用「克拉」表示「黃金的純度」，為免跟鑽石的重量混淆，黃金純度單位另名K金（Karat），簡稱K。

計算純度

最高純度24K金，表示黃金含量99.99%~100%，一般金條都刻上999.9表達，這種純度近乎純金。金飾店最常見的18K金，即黃金含量約：

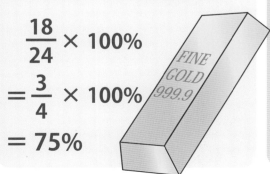

$$\frac{18}{24} \times 100\%$$
$$= \frac{3}{4} \times 100\%$$
$$= 75\%$$

FINE GOLD 999.9

一般量詞的K

很多粉絲看我煮美食！

Thanks
15K
Followers

源於歐美語系以「千」為單位計算，1萬讀成十個一千（10,000 / Ten Thousand），國際社會常用「K」（Kilo）為通用數量單位，例如10K馬拉松（10,000公里）、房屋月租15K（15,000元）、社交媒體追縱者20K（20,000人追縱），這又與黃金純度的K完全不同啊！

重量 斤 兩 錢

半斤

10 錢 = 1 兩
16 兩 = 1 斤
100 斤 = 1 擔

八兩

改用十進制，方便又易計

十進制委員會
查詢電話：8102869

1公斤＝1000克＝2.2磅＝26.5兩
1斤馬斤＝605克＝16兩，每兩＝38克
1磅＝454克＝16安士，每安士＝28克

香港法例 1 斤 = 0.60478982 千克，即約 605 克。

1 斤 = 604.8 克（約 605 克）
1 兩 = 37.8 克（約 38 克）
1 錢 = 3.78 克（約 3.8 克）

雖然公制千克普及社會，但漢字文化圈例如中國內地、香港、新加坡等，中藥店、舊式菜店及海鮮店，仍沿用舊式斤、兩和錢為重量單位。

音量 分貝

Decibel 縮寫 dB

分貝是量度聲音強度單位，分貝越高，聲量越大。分貝之間每相差 10，代表聲量增加 10^1 倍，即 10 倍；相差 20 分貝等如相差 10^2 倍，即 100 倍，如此類推。

隆隆～

隆隆～

分貝聲量對照表

分貝	
120	船隻的引擎室內，聽後會令人感到刺痛
100	飛機在離地不足 100 米的上空飛過
80	25 米範圍內火車高速行駛的聲音
60	一般室內對話
40	圖書館 2 米內的低語
20	低微的呢喃聲
0	正常人的可聽閾（Auditory Threshold）限界

低語

聲音頻率單位・赫茲 ♪ 🎵 ♪

政府規定在高分貝的噪音環境（例如修路、工地）工作者，都要佩戴護耳工具。醫生會用「分貝」配合聲音頻率量度單位「赫茲」（Hertz，縮寫 Hz），以高、中、低頻率的聲音，準確檢測聽力。

長期在過高分貝環境者，所受的聽力損害隨年月累積，年長後會慢慢浮現聽力退化，所以大家要好好保護耳朵啊！

華氏溫標

degree Fahrenheit 縮寫°F

華氏溫標（1724 年）及攝氏溫標（1742 年）在同一時代誕生，兩種溫標今日在國際上都通用。

攝氏溫標

degree Celsius 縮寫℃

制訂兩種溫度時，都以「冰溶點」和「水沸點」之間的溫度差，再分為若干刻度，每個刻度等如一度。

華氏（℉）

為方便刻劃度數，華氏溫標將冰溶點與水沸點之間，分為 180 等份，每份 1 ℉。一般人正常體溫 98.6 ℉

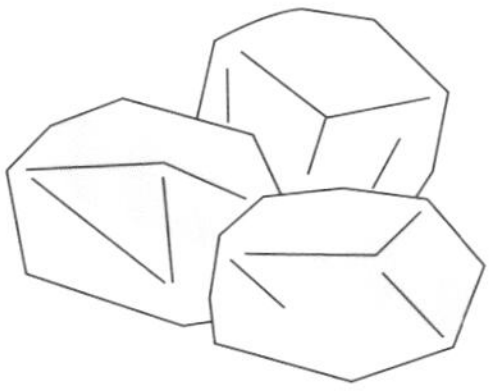

冰溶點

華氏 32 ℉
攝氏 0℃

水沸點

華氏 212 ℉
攝氏 100℃

攝氏（℃）

在攝氏溫標將冰溶點以及水沸點之間等分 100 份，每份 1 ℃。一般人正常體溫 37℃。

華氏與攝氏溫標互換算式

可用華氏或攝氏的水沸點，試算右方公式。用中文表達度數時，緊記附上「華氏」還是「攝氏」啊！

攝氏 $℃ = \frac{5}{9}(℉ - 32)$

華氏 $℉ = (℃ \times \frac{9}{5}) + 32$

雨量

Rainfall
縮寫 mm

雨量是用高度而非體積去紀錄，其單位：毫米（millimeter）衡量特定時間在某地區的降水量。

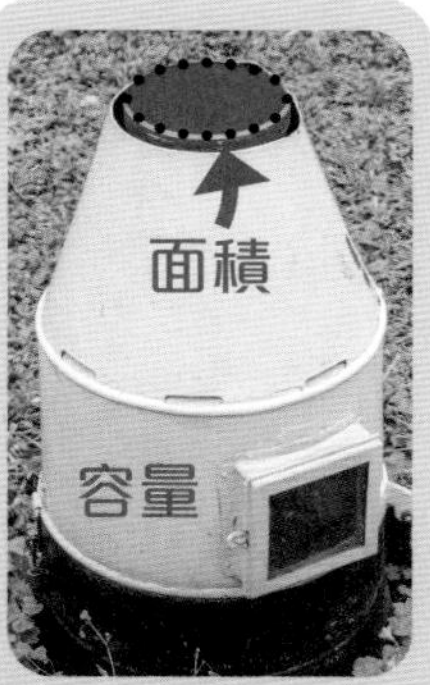

例：虹吸式雨量器。

雨量算式

$$\frac{\text{總雨量（容量）}}{\text{雨量計開口（面積）}} = \text{雨量高度（毫米）}$$

雨量計開口的大小，左右了內藏量杯的收集雨水量，以上算式就避免了誤差呢！所以雨量用「毫米」計算就顯得合情合理了。

馬力 能量

Horsepower 縮寫 hp

瓦特當時用一匹蘇格蘭的農馬，拖動水車，計出 1 馬力的能量。

英國科學家瓦特（James Watt）開創功率單位「馬力」，又稱「匹」，即每分鐘消耗的能量。1 馬力即 33,000 ft•lb/min，即一匹馬用 1 分鐘（min）走 1 英呎（ft），釋放拖動 33,000 磅（lb）東西的能量。

為紀念瓦特的貢獻，後來國際社會將「國際功率單位」訂名為「瓦特」，以英制馬力換算，1 馬力約 745.7 瓦特（W）。

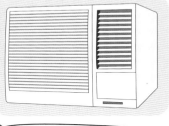

空調系統

3/4 匹、1 匹、1.5 匹……

現在仍用「多少匹」表示空調系統的製冷效能，但已跟「馬力」原意無關了。

屈光度

Diopter 縮寫 D

視力

屈光度是近視或遠視深淺度的國際單位。

- 正屈光度是遠視，例如 1.0 D；
- 負屈光度是近視，例如 -1.0 D。

有的地方將屈光度 ×100 = 近視和遠視的度數，前述 -1.0 D 即「100 度近視」。

大家可用右方算式（用米為單位），檢查近視的最遠距離，或遠視的最近視距：

$$最遠（近視）視距或最近（遠視）視距 = \frac{1}{屈光度}$$

-3.0 D 近視

代表在不戴眼鏡的情況下，只能近看到 0.33 米以內的東西。

$$\frac{1}{屈光度} \rightarrow \frac{1}{-3.0} = -0.33（準確至小數後 2 個小數位）$$

遠視都是這樣計算只能看多少米以外東西啊！

茶匙
Teaspoon
縮寫 t. 或 tsp.

烹飪

想做好蛋糕，首先要學懂食譜寫的茶匙與湯匙啊！

湯匙
Tablespoon
縮寫 tbsp

湯匙 正名「餐桌匙」，因常用來喝湯，故名。

茶匙 攪拌咖啡或茶的小匙。

茶匙‧湯匙與毫升的換算
美國標準

1 茶匙約 5 毫升
1 湯匙約 15 毫升
1 湯匙等如 3 茶匙

歐美的餐桌禮儀源遠流長，餐具眾多，即使是匙，也有茶匙、湯匙、甜品匙等。昔日歐美人士索性取常用的茶匙與湯匙，為食譜的容量單位，今日常見於甜品及蛋糕食譜。

英國、澳洲及紐西蘭的標準稍有差異：
- 英國：1 茶匙約 6 毫升，1 湯匙約 18 毫升。
- 澳紐：1 湯匙等如 20 毫升，所以等如 4 茶匙。

我用 1200 萬像素拍照，相當清晰呢！

圖像

像素
Pixel 縮寫 pix

購買數碼相機或手機等，都用圖像顯示單位「像素」辨別畫面質素。像素是一個點或方塊，含有圖像的顏色資料，眾多像素組合起來就是圖片。當每單位面積內圖像的像素愈多，就愈清晰。

能拍出闊及高為 4000×3000 像素的相機，以前述數字相乘為 12,000,000，所以通稱 1200 萬像素相機。另因英語有「百萬像素」（Megapixel，縮寫 MP）單位，所以 1200 萬像素（12,000,000 pixels）會稱為「12-megapixel」或「12 MP」。

人造衛星拍下的相片，更以多少個 Gigapixel（十億像素）計算啊！

哼！就讓我看看你如何

應用度量衡

M 博士又來找我們麻煩了！別擔心，只要運用學校所教的知識和本書的速算法，M 博士的題目自然**迎刃而解**！

1 數學測驗在下午 2 時 40 分開始，需時 50 分鐘，測驗在幾時幾分完結呢？

答案：

2 舊式火車的時速只有 40km/h，福爾摩斯和華生坐了 90 分鐘，火車行駛了幾公里（km）？

答案：

3 M 博士乘遊艇出海，遊艇在 4 小時內航行了 1.5 海里，平均時速是每小時幾米（m/h）？

答案：

草稿欄

提提你！

● 距離
  1 nm（海里）
  = 1852 m（米）

4 海洋公園佔地 915000 平方米，即多少公頃呢？

答案：

5 地球沙漠化的問題日益嚴重，沙漠化的土地約 3800 km²，當中亞洲約佔 1235 km²，非洲約佔 1060 km²，亞洲及非洲以外被沙漠化的土地約有多少 km² 呢？

答案：

提提你！

● 面積
  10000 m²（平方米）
  = 1 ha（公頃）
  = 0.01 km²（平方公里）

6 李大猩要坐火車，他在火車站的南方，他該往哪個方向走，才能到達火車站呢？

答案：

草稿欄

7 愛麗絲稀釋濃縮果汁，果汁和水的比例必須是 1：4，現有 150 毫升的濃縮果汁，應加入多少毫升的水呢？

答案：

果汁　　水

8 承上題，稀釋後的果汁容量是多少公升呢？

答案：

提提你！

- 容量
  1000 ml（毫升）
  ＝ 1 L（公升）
- 重量
  1000 g（克）
  ＝ 1 kg（公斤／千克）

9 狐格森要郵寄 3 個包裹，每個包裹重 200g，全部包裹的總重量是多少 kg 呢？

答案：

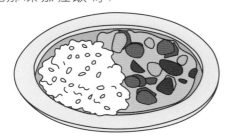

10 偵探兼尋人專家夏普的近視度數（即屈光度）是 -10.0D，在遠離他 15 厘米的地方，放了一碟咖喱飯，如他沒有戴眼鏡，他能清楚看見那碟咖喱飯嗎？

答案：

可參考第 86 頁「單位大百科：屈光度」。

- 最遠視距 ＝ $\dfrac{1}{屈光度}$

最遠視距以米為單位。

哼！就讓我看看你如何
應用度量衡

看圖表時，可用尺子輔助！

1 假日，李大猩到郊外踏單車，以下是他的行程圖，
請根據圖中的資料回答（i）～（iii）：

草稿欄

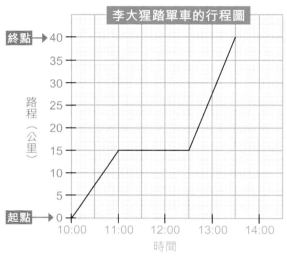

李大猩踏單車的行程圖

終點 → 40
35
30
25
路程（公里）20
15
10
5
起點 → 0

10:00　11:00　12:00　13:00　14:00

時間

（i）李大猩有一段時間坐下來休息，
　　請問他休息了幾小時幾分鐘？

答案：

（ii）李大猩休息前的速率快些，還
　　是休息後的速率快些呢？

答案：

提提你！

- 速率 = $\dfrac{距離}{時間}$

（iii）由上午 10 時至下午 1 時 30 分，
　　他的平均速率是多少 km/h ？
　　（答案準確至小數後 2 位）

答案：

2 小兔子到街市購買晚餐的材料，
他買了 1 斤 12 兩蔬菜和 8 兩蕃
茄，蔬菜和蕃茄共重多少克呢？

答案：

提提你！

- 重量
1 斤 = 16 兩
1 兩 = 37.3 g（克）

3 這輛電單車的速率為 80km/h，秒速是多少 m/s 呢？
（答案準確至小數後 2 位）

答案：

草稿欄

提提你！

- 速率
  1 m/s（秒速 1 米）
  = 3.6 km/h（時速 3.6 公里）

4 房東太太用焗爐來烤餅乾，一次只能烤 10 塊，需時 16 分鐘。她在 15 時 18 分開始烤，共烤了 40 塊，她在幾時幾分完成烤焗？（以 24 小時制時間寫出答案）

答案：

5 香港城門水塘的容量約為 1300 萬立方米，某年儲水量達 95%，即有幾萬立方米的水？

答案：

6 香港位於 UTC ＋ 8 時區，倫敦則位於 UTC ＋ 0 時區，如果你在香港時間上午 10 時出發，飛機航程 12 小時，到達倫敦時，當地時間是幾點呢？

答案：

可參考第 41 至 42 頁「UTC 日期與時間」。

7 假設愛麗絲的身高是 152 厘米，華生的身高是 5 呎 8 吋，二人身高相差幾厘米呢？

答案：

提提你！

- 長度
  1 ft（呎）= 12 in（吋）
  1 in（吋）= 2.54 cm（厘米）

8 狐格森到公園小徑散步，他走路的秒速是 2m/s，跑步則比走路快 3.5 倍，如果他用 5 分鐘跑完整條小徑，小徑的長度是多少米呢？

答案：

1 相信大家都聽過龜兔賽跑的故事，以下是龜兔賽跑的行程圖，請根據圖中的資料回答（i）～（iii）：

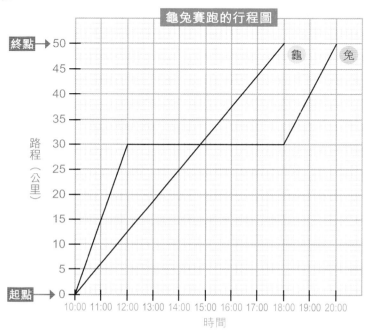

龜兔賽跑的行程圖

（i）兔子有一段時間停下　　答案：
　　來休息，牠開始休息
　　時，烏龜走了多遠？

（ii）烏龜大約在幾時幾分　　答案：
　　遇上兔子呢？

（iii）不計算休息的時間，　　答案：
　　兔子和烏龜的**速率**分
　　別是多少 km/h 呢？

2 今天銀行現鈔賣出價是 10000 美　答案：
元＝ 78000 港元，那 1 港元可換
幾美元？（答案準確至小數後 2 位）

3 福爾摩斯自行量度雨量，他用一個半徑為 0.5 米（m）的特大量杯在平地收集雨水，在一天內收集到 10 升（L）雨水，他量度出來的雨量是多少 mm 呢？（以 π = 3.14 計算，答案準確至小數後 2 位）

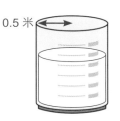
0.5 米

答案：

4 華生畫了一張藏寶圖給少年偵探隊，隊員們根據地圖，往北走了 2 米，再向東走 4 米，最後向南走 6 米，找到小禮物。請在圖畫出他們的路線。

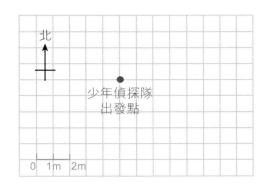
北

少年偵探隊
出發點

0 1m 2m

5 承上題，小禮物其實在少年偵探隊出發點的哪一個方向呢？

答案：

6 英法跨國列車「歐洲之星」速率 60m/s，普通火車速率 20m/s，請根據以上速率回答（i）～（iii）：

（i）歐洲之星和火車相距 800 米，面向對方行駛，它們幾秒後相遇？

答案：

（ii）兩車同時在同一地點背向出發，10 分鐘後，兩車相隔多少米？

答案：

（iii）火車在歐洲之星的東面，相距 400 米，兩車同時向東行駛，歐洲之星要多久才能追上火車？

答案：

草稿欄

可參考第 85 頁「單位大百科：雨量」。

• 雨量 = $\dfrac{\text{收集到的水量（L）}}{\text{容器開口面積（m}^2\text{）}}$

雨量以毫米（mm）為單位

1 m/s = 3.6 km/h，因此「歐洲之星」車速為 60m/s × 3.6 = 216 km/h，比香港巴士的法定最高速還要快 3 倍呢！

答案

M 博士向你下戰書 基礎篇

❶ 測驗會在下午 3 時 30 分完結。

❷ 90 分鐘即 1.5 小時，因此
火車的行駛距離 = 40 × 1.5
= 60 公里

❸ 把距離單位轉成米，1 海里 = 1852 米，所以
遊艇的航行距離 = 1.5 × 1852
= 2778 米

遊艇的時速 = $\frac{2778}{4}$
= 694.5 m/h

❹ 把面積單位轉成公頃，10000 m² = 1 ha，所以
海洋公園的面積 = 915000 ÷ 10000
= 91.5 公頃（91.5 ha）

❺ 亞洲及非洲以外被沙漠化的土地面積
= 3800 − 1235 − 1060
= 1505 km²

❻ 李大猩要向北走，才能到達火車站。

❼ 愛麗絲應加入的水量 = 150 × 4
= 600 毫升

❽ 稀釋後的果汁容量 = 150 + 600
= 750 毫升
以公升來表示容量 = 750 ÷ 1000
= 0.75 公升

❾ 三個包裹的總重量 = 200 × 3
= 600 g
以 kg（千克）來表示重量 = 600/1000
= 0.6 kg

❿ 夏普能看見的最遠視距 = $\frac{1}{-10.0}$
= -0.1 米

夏普不戴眼鏡的話，能看見的最遠距離是 0.1 米，
即 10 厘米，他未能清楚看到 15 厘米外的咖喱飯。

M 博士向你下戰書 進階篇

❶ （i）李大猩休息了 1 小時 30 分鐘。

（ii）休息前，他用 1 小時行駛了 15 公里，所以
休息前的速率 = $\frac{15}{1}$
= 15 km/h
休息後，他用 1 小時行駛了 25 公里，所以
休息後的速率 = $\frac{25}{1}$
= 25 km/h
因此，他休息後的速率比較快。

（iii）根據行程圖，由上午 10 至下午 1 時 30 分
這 3.5 小時內，他行駛了 40 公里。

這段時間的平均速率 = $\frac{40}{3.5}$
= 11.43 km/h
（準確至小數後 2 位）

❷ 蔬菜和蕃茄共重 1 斤 20 兩，將重量單位轉換成兩，
1 斤 = 16 兩，即共重 36 兩，而 1 兩 = 37.3 克，
所以
蔬菜和蕃茄的重量 = 36 × 37.3
= 1342.8 克

❸ 電單車的秒速 = 80 ÷ 3.6
= 22.22 m/s
（準確至小數後 2 位）

❹ 烤 40 餅乾所需時間 = $16 × \frac{40}{10}$
= 16 × 4
= 64 分鐘
因此，房東太太會在 15 時 18 分的 64 分鐘後，即
16 時 22 分完成烤焗。

❺ 某年的儲水量 = 1300 × 95%
= 1235 萬立方米

❻ 香港時區在 UTC+8，倫敦時區在 UTC+0，香港比
倫敦快 8 小時。飛機出發時，香港時間為上午 10
時，即倫敦時間為 10 − 8 = 上午 2 時。飛機航行
12 小時，所以到達倫敦時，當地時間是下午 2 時。
註：現實航班的到達時間或受其他因素影響，以
上算式僅作示例。

7 把長度單位轉成吋，1 呎 = 12 吋，所以
華生的身高 = 5×12 + 8
= 68 吋
再把吋轉換成厘米，1 吋 = 2.54 厘米，因此
以厘米表示華生的身高 = 68×2.54
= 172.72 厘米
華生與愛麗絲的身高相差 = 172.72 − 152
= 20.72 厘米

8 狐格森跑步的秒速 = 2×3.5
= 7 m/s
他跑完小徑需時 5 分鐘，即 300 秒，所以
公園小徑的長度 = 7×300
= 2100 米

M 博士向你下戰書 挑戰篇

1 （i）兔子在 12 時開始休息，
　　　當時烏龜走了 25 公里。

　　（ii）方格圖中 1 小時（60 分鐘）內有 5 個小格，
　　　　即每小格代表 60÷5 = 12 分鐘。兔子和烏
　　　　龜的線在 14 時的第 4 個小格後交錯，代表
　　　　12×4 = 48 分鐘。因此，烏龜在 14 時 48
　　　　分鐘遇上兔子。

　　（iii）根據行程圖，不計算休息時間，兔子用 4 小
　　　　時跑了 50 公里，所以

$$兔子的速率 = \frac{50}{4}$$
$$= 12.5 \text{ km/h}$$

　　　　烏龜用 8 小時跑了 50 公里，所以

$$烏龜的速率 = \frac{50}{8}$$
$$= 6.25 \text{ km/h}$$

2 10000 美元等如 78000 港元，所以

$$1 \text{ 港元} = \frac{10000}{78000}$$

> 為何循環小數有兩點？詳閱
> 《分數・小數・百分數之卷》

$$= 0.\overset{\bullet}{1}2820\overset{\bullet}{5}$$
$$= 0.13 \text{ 美元（準確至小數後 2 位）}$$

3 福爾摩斯所用的量杯口面積 = 0.5^2×3.14
= 0.758 m²

$$他量度出來的雨量 = \frac{10}{0.785}$$
$$= 12.74 \text{ mm}$$

4
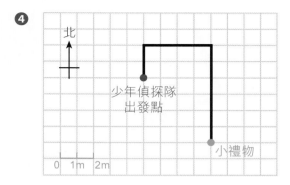

5 小禮物其實在少年偵探隊出發點的東南方。

6 （i）歐洲之星和火車面向對方而行，即兩車以 20
　　　＋ 60 = 80m/s 的速率接近對方。
　　　兩車相遇的時間 = 800÷80
　　　　　　　　　　= 10 秒
　　　因此，兩車會在 10 秒後相遇。

　　（ii）兩車背向而行，即以 20 ＋ 60 = 80m/s 的速
　　　　率遠離對方。而 10 分鐘即 600 秒。
　　　　10 分鐘後兩車相距 = 80×600
　　　　　　　　　　　　 = 48000 米

　　（iii）兩車向同一方向走，即歐洲之星以 60 − 20
　　　　= 40m/s 的速率接近 400 米外的火車。
　　　　兩車相遇的時間 = 400÷（60 − 20）
　　　　　　　　　　　 = 400÷40
　　　　　　　　　　　 = 10 秒
　　　　因此，歐洲之星會在 10 秒後追上火車。

你們能通過這些挑戰嗎？